MÉLISSA
AU
PAYS DU DRAGON

Déjà parus

dans la collection « Turquoise »

ÈVE SAINT-BENOÎT

MÉLISSA
AU
PAYS DU DRAGON

Turquoise Médaillon

PRESSES DE LA CITÉ

9797 rue Tolhurst, Montréal H3L 2Z7 - Tél.: 387-7316

La loi du 11 mars 1957 n'autorisant, aux termes des alinéas 2 et 3 de l'article 41, d'une part, que les « copies ou reproductions strictement réservées à l'usage privé du copiste et non destinées à une utilisation collective », et, d'autre part, que les analyses et les courtes citations dans un but d'exemple et d'illustration, « toute représentation ou reproduction intégrale ou partielle, faite sans le consentement de l'auteur ou de ses ayants droit ou ayants cause, est illicite » (alinéa 1er de l'article 40).

Cette représentation ou reproduction, par quelque procédé que ce soit, constituerait donc une contrefaçon sanctionnée par les articles 425 et suivants du Code pénal.

Au sommet de la Montagne Noire,
Amithaba, le dieu de l'amour,
te montre le chemin.
Mais c'est seulement à la tombée du jour
que l'ombre de son doigt
indique la bonne direction.
Si ton orgueil ou ton impatience
te détournent du droit chemin,
à jamais tu erreras à travers
le pays de Drukyul, le dragon.
Si ta cupidité t'égare, tu te noieras
dans les eaux glacées de ton âme.
Si ton amour te conduit,
tu gagneras le fabuleux trésor.

Chant dzongka du XIIᵉ siècle.

PREMIÈRE PARTIE

A LA RECHERCHE DE MATHIEU

1

— VOUS êtes folle, tout simplement!

Lancée dans un français teinté d'accent américain, la phrase rebondit sur les cloisons. Les yeux dilatés par la stupeur, Mélissa recula jusqu'à heurter le vantail de la porte.

— Inutile de crier! déclara-t-elle, je ne partirai pas sans avoir vu M. Mathieu Dandillot.

— Vous voyez par vous-même qu'il n'est pas ici.

— Il devrait y être. Comment se fait-il que vous occupiez sa chambre?

Un silence s'ensuivit, pendant lequel Mélissa examina la pièce dans laquelle elle avait pénétré. Basse de plafond, elle avait un aspect impersonnel : juste quatre murs enfumés. L'unique fenêtre donnait sur une cour bordée d'une muraille sur laquelle deux tours carrées dressaient leur toit en pagode vers le ciel crépusculaire.

— Folle à lier! répéta l'homme.

Campé au milieu de la chambre, sa silhouette se découpant sur la clarté de la fenêtre, l'inconnu paraissait redoutable. Son sage complet en velours côtelé, patiné aux coudes et aux genoux, ne parvenait pas à atténuer la puissance de sa carrure. (Puissance musculaire et cérébrale à la fois, nota Mélissa.)

Beau, il l'était, sans aucun doute, et cependant, son air

11

menaçant altérait l'extrême harmonie de ses traits. Un pli dédaigneux aux commissures des lèvres trahissait un caractère irascible. « Qui est cet homme? Où l'ai-je déjà vu? A Londres? A Paris? Mon Dieu, quel cauchemar! »

La voix de l'inconnu rompit le flux de ses interrogations :

— Qui est ce Mathieu Dandillot? Pour quelle raison occuperais-je sa chambre?

Il la dévisageait intensément, avec cruauté. Intimidée, Mélissa bredouilla :

— Je... Je vous assure qu'il aurait dû se trouver ici, à votre place.

— Vraiment? aboya-t-il, cela tombe sous le sens : un rendez-vous romanesque sur le versant de l'Himalaya!

— Il ne s'agit pas de ce que vous croyez.

— Alors quoi? Seriez-vous une espionne? Pourquoi mentez-vous?

— De grâce, monsieur! Je vous dis la vérité.

— Laquelle? Il y en a tant! Pour ma part, je ne crois pas un traître mot de votre histoire, pour la bonne raison qu'à l'intérieur du *dzong* [1] de Punakha, les étrangers se comptent sur les doigts d'une main.

Ce disant, il amorça un mouvement vers l'avant. Elle crut qu'il allait venir vers elle, mais il obliqua en titubant du côté d'un trépied qui faisait office de table de chevet. Il saisit une fiole d'absinthe et un gobelet en zinc.

— Voulez-vous trinquer à notre rencontre?

Mélissa resta figée, frappée de mutisme, et il haussa les épaules en ricanant.

— Je n'ai jamais entendu parler du fantôme que vous prétendez chercher. J'ai même de la peine à croire à son existence réelle. On dirait un simple rêve, une pure fiction.

1. Dzong : ville-forteresse protégée par de hautes murailles. Architecture typique du Bhoutan.

Dans le silence survenu, il se versa une rasade. Le liquide remua pendant un instant dans le verre, puis s'immobilisa, lançant une lueur verdâtre sur son visage.

— Je m'appelle David Duncan, dit-il d'un ton radouci.

« Ça y est! Je m'en souviens! » Le voile se déchira et Mélissa se rappela en un éclair où et quand elle avait vu l'homme : aux *Dossiers de l'écran,* à propos des derniers chasseurs de trésors. Elle avait regardé l'émission en compagnie de sa chère tante Abigaël, dans son somptueux appartement à Boulogne. David faisait figure de vedette et avait été attaqué par un petit historien de la faculté de Nanterre, lequel l'avait quasiment traité d'assassin et de violeur de sépultures.

— David Duncan? fit-elle sans plus réfléchir, vous êtes le célèbre chasseur de trésors? Y aurait-il un " magot " à découvrir au Bhoutan?

« J'ai dû faire une gaffe », songea-t-elle en le voyant vider d'un trait son gobelet, avant de l'envoyer rageusement rouler sur le dallage.

— Je suis ici en ma qualité d'écrivain! vociféra-t-il. Est-ce clair?

Stupéfaite, la jeune fille le vit s'avancer dans sa direction, la bouche incurvée, le visage noirci par la colère. Elle n'eut guère le temps de se soustraire; en un geste d'une violence inouïe, il l'avait déjà saisie aux épaules, secouée, puis, lui empoignant le menton, il l'avait forcée à relever la tête.

— Trêve de plaisanterie! Qui vous a envoyée au Bhoutan?

— Personne.

— Qui cherchez-vous au *dzong*?

— Je vous l'ai déjà dit : Mathieu Dandillot.

— *Goddam!* Persistez-vous à débiter ces déclarations invraisemblables?

— En tant qu'écrivain, monsieur Duncan, vous devriez savoir que la réalité dépasse parfois la fiction.

Il la considéra attentivement, en plissant les paupières comme s'il voulait lire dans ses pensées. Elle soutint son regard sans broncher. « Diable! Qu'elle est belle! » Il décida de faire abstraction de leur troublante proximité.

— Vous être trop jolie femme pour dire la vérité.

— Ça, c'est un cliché de mauvais écrivain!

Il la regarda de nouveau, lentement, comme s'il la découvrait. Toujours immobile, le visage pâle et menu sous la masse dorée de sa chevelure, les mains crispées en un geste désespéré sur son tee-shirt bleu lavande, elle semblait tout à fait sincère... et si abominablement fragile! Des larmes contenues avivaient l'éclat diamanté de ses prunelles, mais elle continuait de le fixer, avec une puérile obstination.

Lorsque la main brûlante de l'homme lui frôla la joue, elle n'eut pas l'air de réagir.

— Comment vous appelez-vous? demanda-t-il d'une voix enrouée.

— Mélissa.

— Dites-moi, Mélissa, puisque ce fameux Mathieu auquel vous semblez tenir tant vous a posé un sacré lapin, ne pourrais-je pas le remplacer pour une soirée?

Elle ne répondit pas; son esprit voguait dans le passé.

— Un bourreau des cœurs, ce David Duncan! avait décrété tante Abigaël vers le dernier quart de l'émission.

De l'autre côté de l'écran, le petit historien, gris, triste et boutonneux, s'acharnait contre le chasseur de trésors.

— Deux de vos compagnons sont morts aux Galapagos dans des circonstances jamais élucidées. Qu'avez-vous à répondre?

— C'est une cabale montée de toutes pièces par des rats de bibliothèque! avait rétorqué Duncan. Cher monsieur, vous appartenez à un temps révolu. Moi, je fais de l'histoire vivante, au lieu de gratter du papier.

14

La réplique avait arraché les applaudissements des autres invités et un soupir de satisfaction à tante Abigaël.

Revenue au présent, Mélissa se rendit compte que la main de David s'était nichée au creux de sa nuque, l'attirant vers lui. L'effluve poivré de l'absinthe la frappa de plein fouet. Un étrange éclair traversa les yeux du jeune homme. Ses iris étaient d'un vert si sombre qu'ils en paraissaient noirs.

— Quelle audace! Lâchez-moi, vous êtes ivre!

Il l'enlaça en riant et, se penchant sur son visage, il chercha ses lèvres. Elle le repoussa de toutes ses forces que la rage décuplait. Désarçonné, il la relâcha, sans cesser de ricaner — un rire bas et moqueur.

— Félicitations, ma chère! Rien ne manque à votre attirail de séduction. Provocation et défense, c'est très européen.

Il allait à nouveau l'enlacer quand une gifle l'interrompit.

— Monsieur Duncan, vous êtes un ivrogne, soit! Mais l'ivresse n'excuse pas la muflerie! Sachez que je ne suis pas venue au bout du monde à la recherche d'un flirt, fût-ce avec vous!

Il avait reculé et elle eut le plaisir de le voir au bord de l'infarctus. Sachez également, poursuivit-elle avec véhémence, que jamais vous ne pourrez remplacer Mathieu, d'abord parce qu'il est bien élevé, et ensuite, parce qu'il est mon frère!

David Duncan posa sa main sur sa joue, qui portait la marque rouge de la gifle.

— Son frère! siffla-t-il entre les dents. Les femmes ont toujours le beau rôle. Allez au diable, miss Dandillot, et ne comptez pas sur moi pour vous tirer d'affaire.

Mélissa eut la sensation d'une cassure. « L'irréparable s'est produit, quel dommage! J'aurais eu besoin d'un ami dans ce pays. Tant pis, c'est trop tard, les hommes ne supportent pas qu'on les repousse ». Elle tint à marquer le dernier coup.

— Vous êtes un *bad looser*.

— Au diable! éructa-t-il.

Elle pivota sur ses talons et quitta la pièce en claquant la porte. Comme un automate, elle longea le couloir, descendit quatre à quatre les marches et sortit de la *Maison de Chenrezig*, dieu de l'hospitalité. Brusquement, ses nerfs lâchèrent et elle laissa libre cours à ses larmes. Dehors, tout était rempli de l'absence de Mathieu.

La citadelle de Punakha baignait dans les vapeurs mauves du crépuscule. Mélissa se mêla à la cohue qui avait envahi la place Ngawang Namgyal. Une multitude d'hommes et de femmes trapus, aux visages arrondis des races asiatiques, aux yeux étirés vers les tempes, se pressaient parmi les échoppes et les boutiques.

Confusément, la jeune fille nota l'absence de voitures. Alors que les réverbères s'allumaient, le spectacle de la rue n'en devenait que plus féerique. A la lumière électrique, tous ces personnages vêtus de robes multicolores s'arrêtant à la hauteur du genou semblaient surgir d'un monde hors du temps. Ils allaient par bandes, à pied ou à bicyclette, riant aux éclats et se chamaillant dans un langage aux consonances tibétaines. De temps à autre, une chaise à porteurs caracolait sur les pavés.

Sur le passage de l'étrangère, les gens se retournaient, l'avisant d'un air sournois et hardi. Elle ne s'en aperçut pas; elle marchait, la tête vide. Une seule pensée l'obsédait. Qu'était-il arrivé à Mathieu?

Un cri la ramena à la réalité :

— *Om mani padme hum!*

Cela allait s'amplifiant, sur le mode de l'incantation. La foule se fendit en deux. Mélissa put observer une procession de moines bouddhistes en robe lie-de-vin, longue chenille dodelinante, qui se traînait sur l'esplanade. Perdu dans sa contemplation, chaque moine fixait la flamme d'une lampe à beurre qu'il tenait dans les mains et dont la réverbération éclairait son visage par le bas.

Ce fut en suivant du regard le défilé que Mélissa aperçut l'homme! Il se tenait de l'autre côté de la procession et il la fixait. Dans le halo des lampes, ses traits s'estompaient. Mais il suffit d'une seconde à Mélissa pour sentir qu'il s'agissait d'un homme dangereux. Mongol, il portait le *Ko* bhoutanais, mais il avait préféré au tissu satiné habituel une peau de yak noire. Totalement inexpressif, son visage n'en était pas moins inquiétant. Rien n'échappa à Mélissa, ni les yeux bridés et cruels, ni le sourire s'écartant sur des dents longues, noircies par le bétel, ni la sinistre cicatrice qui, telle un filet de sang, lui balafrait la joue. Soudain, le Mongol agita une main en un signe de reconnaissance. « Doux Jésus, que me veut-il? »

Prise de panique, Mélissa se fraya un passage dans la foule. Il lui sembla qu'on l'appelait dans son dos :

— Miss Dandillot! Miss Dandillot!

Elle se rendit compte, ensuite, que ce n'était qu'un assemblage de mots scandés par les moines :

— *Is Mani dan! Is mani yo!*

Un regard jeté en arrière acheva de l'exaspérer. L'homme à la robe en peau de yak la suivait. Mélissa força l'allure et ce fut presque en courant qu'elle grimpa à nouveau les marches de la *Maison de Chenrezig*. Le cœur battant, elle s'engagea dans le corridor qui menait aux pièces réservées aux étrangers. Elle savait maintenant que deux d'entre elles seulement étaient occupées : la sienne et celle de David Duncan. Et Mathieu? Où était passé Mathieu? A son souvenir, sa gorge se noua.

Ses pas résonnaient dans le couloir, dédoublés par l'écho de ce grand édifice blanc et vide. A bout de souffle, elle atteignit enfin la porte de sa chambre. Avant qu'elle n'ait posé la main sur la poignée, le battant sculpté, à l'imagerie bouddhiste, roula sur ses gonds et Mélissa étouffa un cri.

Une silhouette courte sur jambes se mouvait dans le contre-jour. Un Bhoutanais, dont le *Ko* était rehaussé d'une frange d'or à l'ourlet.

— Miss Dandillot, vous voilà enfin! s'exclama-t-il en anglais, avec une étonnante familiarité, entrez et asseyez-vous. Je suis le Ramjam de l'auberge de l'hospitalité.

Il était très vieux. Ses minuscules yeux noirs perçaient de deux trous sombres le parchemin de sa peau. Sa toison d'un blanc cotonneux se terminait en houppette au sommet de son crâne.

— Que voulez-vous? demanda Mélissa d'une voix lasse.

— Vous poser quelques questions.

— J'espère en connaître les réponses, Ramjam.

Observateur, le vieillard avait déjà échafaudé un certain nombre de constatations, au sujet de l'étrangère : jeune, belle de cette beauté des filles de l'Occident, obstinée — ce qui était un vilain défaut pour une femme — et intelligente — ce qui, en l'occurrence, était pure catastrophe. Il sourit avec une politesse extrême-orientale.

— Miss Dandillot, vous avez déclaré à la frontière que vous veniez au Bhoutan pour y rencontrer votre frère, M. Mathieu Dandillot, archéologue français envoyé en mission en Birmanie.

— C'est exact.

— Alors? L'avez-vous rencontré?

— Hélas! non, monsieur.

D'un geste pointu et économe, le vieux Ramjam l'invita à s'asseoir sur le lit, puis se glissa à ses côtés.

— Savez-vous, mademoiselle, que le Bhoutan est un pays interdit aux étrangers?

— Mes papiers sont en règle. J'ai dans mon sac un passeport, un visa, l'autorisation du ministère des Affaires étrangères de l'Inde et l'invitation de la famille royale du Bhoutan. Voulez-vous les regarder?

— Votre parole me suffit. Qui vous a procuré l'invitation royale?

— Euh.. Abigaël Dandillot, ma tante, a beaucoup de relations...

Elle se tut, baissant les yeux sur ses bottines.

— Je vous conseille de tout me dire, mademoiselle. Vous pourriez vous attirer des ennuis.

Elle songea à l'homme qui l'avait suivie mais feignit l'insouciance :

— Qui pourrait m'en vouloir? Je n'ai fait de mal à personne.

Le Ramjam émit un rire grinçant qui découvrit largement des gencives violacées et édentées.

— Raisonnement typiquement occidental : je n'ai pas fait de mal, donc, je ne risque rien. Illusion! Vous êtes certaine de ne pas avoir commis de mauvaise action, mais si quelqu'un pensait le contraire, qui aurait raison? Vous ou lui?

— Cela dépend! Notre vieille Europe est moins rationaliste que vous ne le pensez. Descartes est dépassé. Depuis quelques années, un certain Pirandello essaie de démontrer que, dans un cas semblable à celui dont nous parlons, les deux adversaires auraient, tous deux, raison et tort à la fois!

Un fin sourire étira les lèvres du Ramjam, faisant jaillir la saillie de ses pommettes. Il resta silencieux, comme prostré, hochant la tête. Au bout d'un moment, Mélissa comprit que ce hochement était une sorte de tic.

« Un tic qui donne l'apparence de la réflexion, pensa-t-elle, encore un bon point pour Pirandello. » Enfin, le vieillard se résolut à parler :

— Je ne connais pas le sage dont vous faites mention, mais j'ai été heureux d'apprendre son existence.

« Oui, oui, intelligente! songeait-il au même moment, et cela n'arrange pas mes affaires. » Le Ramjam se leva et commença d'arpenter la pièce. Mélissa nota, non sans amusement, qu'il portait aux pieds de grosses chaussures américaines et des chaussettes en laine qui juraient avec son *Ko* frangé d'or.

— Miss Dandillot, avez-vous une idée concernant l'absence de votre frère?

— Pas la moindre. Je n'ai pas eu de ses nouvelles depuis près de quatre mois, date à laquelle j'ai reçu un message rédigé de sa propre main. Il affirmait alors être sur le point de passer la frontière bhoutanaise et m'envoyait son adresse : *Punakha-dzong, Maison de Chenrezig,* porte 53. C'était on ne peut plus précis.

Elle avala sa salive avant de poursuivre :

— M. Duncan occupe actuellement cette chambre.

Le Ramjam n'eut pas l'air frappé par cette observation. Il se déplaçait dans tous les sens, comme une poule affairée.

— Puis-je voir la lettre?

Elle opina et alla farfouiller dans un grand sac de toile grise placé derrière le lit. Puis, elle tendit au Ramjam une feuille de papier jauni si fripée qu'elle semblait avoir été ballottée par tous les ouragans de l'univers. L'ayant parcourue fébrilement, le vieillard la lui rendit en hochant frénétiquement la tête et en faisant voltiger la houppette de sa coiffure.

— Je vois... Je vois... Les mots sont à moitié effacés, marmotta-t-il; regardez ici *Pash*... puis plus loin ... *ion.* *Pasherminion!* C'est un village perdu, au Cachemire!

— Non! Il écrit clairement qu'il devait passer au Bhoutan. Et puis, que dites-vous de l'adresse? N'est-ce pas celle de votre auberge?

— Certes... Certes... Il a dû l'envisager, mais il a dû changer d'avis par la suite. Tous les jeunes gens sont versatiles. Vous avez fait une folie en venant au Bhoutan. Il serait souhaitable que vous repartiez.

— Sans Mathieu? C'est impossible. Que vais-je dire à tante Abigaël?

Le vieux Ramjam se mordit la lèvre inférieure.

— M. Mathieu Dandillot n'a jamais franchi la frontière de mon pays. A mon bureau, j'ai tous les rapports de la douane. Ou alors, il serait venu clandestinement...

— Voilà qui est improbable! Je réponds de l'honnêteté de Mathieu.

Le vieillard eut un semblant de sourire.

— Je vous laisse. Nous discuterons de tout cela demain. Quant à votre frère, j'ai bien peur qu'il n'ait changé de caractère depuis qu'il vous a quittée.

— Je ne puis me tromper. Nous avons tout de même grandi ensemble!

Juste avant de sortir, le Ramjam se retourna vers Mélissa. Son sourire s'était élargi et, tout en posant sur elle ses prunelles sans flamme, il mit un doigt sur ses lèvres, en guise de préambule.

— Eh! Eh! Eh! fit-il, postillonnant de joie, pourquoi ne vous tromperiez-vous pas, chère mademoiselle Dandillot? Il ne faut pas penser à votre ami Pirandello seulement quand ça vous arrange!

Sur ces derniers mots, il s'éclipsa. Mélissa s'allongea sur le lit dur et étroit, les mains derrière la nuque, les yeux rivés aux pierres de taille du plafond. Elle avait peut-être eu tort de ne pas mentionner l'homme à la robe en peau de yak. Mais, après tout, ce Ramjam était-il son allié? Rien de moins sûr.

« Dieu, quelle horrible attente, quelle torture que ces moments où tout peut survenir... » Ses paupières se fermaient, mais le sommeil ne venait pas. Mathieu lui apparut. Il souriait. Puis la richissime tante Abigaël surgit à son tour, haute comme trois pommes, la bouche carminée, l'œil empreint d'angoisse derrière son face-à-main.

— C'est quoi, ça, le Bhoutan, Seigneur? Qu'est-ce que c'est que ce pays qui n'est pas fichu d'avoir une ambassade? Remuez-vous, ma fille, enfilez votre manteau d'ocelot et courez à l'ambassade de la Birmanie ou de l'Inde.

Ou bien, dans une posture tragique :

— Comment? Des tas d'autorisations pour aller au

Bhoutan? Qu'à cela ne tienne, il me reste encore quelques solides relations. Ernest! faites avancer la Rolls-Royce.

« Brave et étonnante Abigaël! » Dans l'obscurité froide de sa chambre, Mélissa sourit à l'image de la minuscule et terrible vieille dame. Rassurée, elle glissa dans un sommeil profond.

C'était bien un sifflement! Mélissa se réveilla en sursaut. Combien de temps avait-elle dormi? Elle se redressa dans son lit. Un long objet, lisse et brillant, gisait sur le carrelage. Un objet inquiétant, maléfique. Un rai de lune ricochait sur sa lame amincie à force d'affûtages. « Un couteau! » Mélissa se précipita à la fenêtre sans réfléchir davantage. Dans la nuit, la cour semblait déserte. Un silence pesant s'était abattu sur les choses. Néanmoins elle attendit en retenant son souffle.

Au bout d'un temps infiniment long — une éternité —, une silhouette se détacha de l'ombre. Un homme s'avança dans le clair de lune. Le sang de Mélissa se glaça dans ses veines.

— Le Mongol!

L'instant suivant, elle se rua vers la porte, l'ouvrit en grand et... se sentit happée par deux bras durs et musclés.

— Au secours! hurla-t-elle.

2

— CALMEZ-VOUS! dit David Duncan.

Il la repoussa vers le lit, où elle s'effondra, le visage dans les mains, secouée de sanglots.

— On... on a voulu attenter à ma vie.

Le jeune homme jeta un coup d'œil par la fenêtre, puis examina le couteau qu'il finit par fourrer dans sa poche, comme un objet ordinaire.

— Vous ne comprenez pas? hurla Mélissa. On veut ma mort!

La porte s'ouvrit et un adolescent entra dans la pièce. Il considéra le couple d'un air hébété.

— C'est vous qui avez crié? demanda-t-il.

— Oui, affirma la jeune fille, c'est moi. Quelqu'un a essayé de... de m'assassiner.

L'autre réprima un fou rire.

— Ah oui? Voulez-vous parler au Ramjam?

— Oui! Appelez le Ramjam, appelez également le commissaire de police! Et dites-moi d'où je pourrais téléphoner à Paris.

— Commissaire? Téléphoner? Paris? répéta le jeune Bhoutanais, de plus en plus hilare. Mais on ne peut téléphoner nulle part.

— Alors, conduisez-moi à la police!

Sur le faciès prognathe de l'adolescent, la pitié remplaça la gaieté.

— Voyons, psalmodia-t-il, vous prétendez qu'on a essayé de vous tuer...

— Retournez à votre chambre! dit soudain David Duncan, coupant court, la demoiselle a fait seulement un mauvais rêve.

— Oh! Les femmes ont l'habitude de rêver, répondit l'autre, moqueur.

Son sourire se mua en un rire inextinguible et il sortit en se tordant et en se donnant de petites claques sur les cuisses. Mélissa se tourna vers son compagnon, indignée :

— Vous m'avez rendue ridicule!

— Je vous ai au contraire sauvée du ridicule. Ici, les gens racontent volontiers que c'est le manque d'amour qui fait crier les femmes la nuit. Celles-ci, dit-on, imagineraient n'importe quoi pour attirer un homme dans leur chambre.

— Oh! fit Mélissa, alors qu'une délicate roseur lui colorait les joues, en ce cas, mieux vaut se laisser assassiner dignement plutôt que de risquer sa réputation.

Il lui sourit d'une façon irrésistible.

— Vous avez l'humour des Britanniques.

— Encore un cliché. L'humour français existe aussi!

— Ce n'est pas pour me déplaire, je suis français par ma mère.

Il fixa sur la jeune fille l'émail vert-noir de ses prunelles, puis en détourna la tête, comme à regret.

— Quittez ce pays, miss Dandillot! Ce couteau envoyé dans votre chambre n'avait pas pour but de vous blesser. C'était un simple avertissement.

Mélissa haussa les épaules.

— Vos amis les Bhoutanais racontent des tas de choses sur les femmes! Chez moi, on dit qu'une femme avertie en vaut deux. Alors, je reste!

24

Il éclata de rire.

— Miss Dandillot, vous m'intéressez.

— Merci! Je serais ravie de devenir l'inspiratrice d'un de vos prochains romans. Mais, dites-moi, que faisiez-vous devant ma porte?

— Je venais vous présenter mes excuses. Cet après-midi, je me suis comporté comme un goujat.

— Le mot est faible!

David se laissa tomber sur l'unique chaise qui gémit sous son poids.

— Me pardonnez-vous?

Ses yeux l'interrogeaient, implorants et charmeurs. Elle releva le menton, s'efforçant de paraître calme. « Il ne faut pas qu'il reste ici. »

— Vous êtes excusé, monsieur Duncan. Et maintenant, sans vouloir vous chasser, je voudrais me reposer. Toutes ces émotions m'ont épuisée.

Il ne bougea pas mais continua à la considérer, avec une expression de défi.

— Vous avez peur de moi?

— De vous? Quelle idée! Pas le moins du monde.

— Et si je vous disais que je vous sens extrêmement tendue, troublée, même?

— Je vous répondrais que vous vous vantez, monsieur Duncan.

Il se leva d'un bond.

— Mélissa, vous êtes une délicieuse créature, une fille intelligente, mais, que diable! il est grand temps de vous rendre compte que vous êtes très très loin des salons sécurisants de votre tante, à Paris! Ici, c'est l'Asie! Une autre civilisation, une autre mentalité.

Elle s'assit au coin du lit, les paumes sur les tempes.

— Qui vous a parlé de ma tante?

— J'ai eu une conversation avec le Ramjam à votre sujet.

— Ah! Et qu'est-ce qu'il a dit?

— Que Mathieu Dandillot n'est pas un personnage imaginaire. Au contraire! Il semble tellement réel qu'il commence à agacer ce malheureux vieillard.

Elle hocha la tête, soudain accablée :

— Vous avez raison, gémit-elle, je suis ridicule! Je joue aux fortes têtes, mais la vérité est tout autre. Je me sens seule, perdue, terrorisée à l'idée que Mathieu ait pu avoir des ennuis.

Un lourd silence s'ensuivit. Mélissa pressentait qu'elle était en présence du seul allié possible : un Américain connaissant le pays et jouissant d'une notoriété certaine parmi les indigènes. Elle hasarda :

— Vous resterez longtemps à Punakha?

— Je pars demain matin.

L'espoir s'éteignit. Mélissa fit bonne figure.

— Ah! Vous rentrez aux Etats-Unis?

Il tira un paquet de Players de sa poche revolver, en alluma une et envoya une série de ronds de fumée au plafond.

— Non, je reste au Bhoutan. Je me déplacerai vers l'est. Je suis invité à la Tanière du Lion par un puissant seigneur.

— Quel nom étrange!

— C'est ainsi qu'il appelle sa demeure, sorte d'assemblage ahurissant de tous les styles asiatiques.

— Vraiment? sourit la jeune fille, et où habite ce facteur Cheval oriental?

L'homme écrasa sa cigarette.

— Il règne sur la vallée de Pashemira. Une région totalement isolée des autres provinces.

Brusquement, le temps se figea pour Mélissa. Les yeux vagues, elle murmura :

— Pash...emira! Pash... c'est donc ça! Et comme il la dévisageait sans comprendre, elle ajouta : Mathieu mentionnait cet endroit dans sa lettre! Les caractères étant effacés, le Ramjam m'a assurée qu'il s'agissait d'un bled perdu, au Cachemire.

Il se mordit la lèvre :

— En êtes-vous certaine?

— J'en suis convaincue!

— Tiens donc! Encore une coïncidence! grinça-t-il.

Toute à sa joie, Mélissa ne remarqua pas que le visage de l'Américain s'était assombri.

Spontanément, elle s'élança vers lui.

— David! s'écria-t-elle, l'appelant par son prénom, oh! David! Je vous en supplie, emmenez-moi à Pashemira!

Dans son élan, elle se blottit contre lui. Il l'entoura de ses bras et posa sa joue sur la masse soyeuse de sa crinière blonde. Vue de loin, la scène aurait pu passer pour un échange de serments d'amour. Or, une sombre flamme brûlait dans le regard de l'homme. Mélissa, elle, se sentit, pour la première fois depuis son arrivée, merveilleusement en sécurité et posa sa tête sur la dure poitrine de son compagnon. Cela ne dura que quelques secondes et, cependant, un ineffable bonheur se glissa dans son âme. Ce fut elle qui se dégagea de cette étreinte et, levant sur le jeune homme ses yeux troubles, elle demanda :

— M'emmènerez-vous?

— Les hautes terres himalayennes ne sont pas un endroit idéal pour une femme aussi fragile que vous.

— Elles seront hospitalières pour une sœur inquiète.

Il se mit à réfléchir et un muscle se contracta dans sa mâchoire.

— Que le ciel me damne! Je suis en train de m'enliser dans une situation inextricable, décida-t-il; mais, après tout, qui sait? Nous devons obéir à notre destin!

Sur cette mystérieuse conclusion, il effleura d'un doigt caressant le bout du nez de la jeune fille et lui souhaita une bonne nuit.

En se remettant au lit, Mélissa voyait l'avenir d'un œil optimiste. « Avec David à mes côtés, je réussirai à retrouver Mathieu, c'est sûr. »

Tapi derrière ses jalousies, le Ramjam plissait les paupières.

— Incroyable, marmonna-t-il, incroyable!

Entre deux lamelles de bois, il voyait s'éloigner l'Américain ayant à son côté la jeune fille aux cheveux d'or. Dans la verte clarté du matin, elle marchait d'un pas égal et décidé, portant ce drôle d'accoutrement à l'occidentale qui ne tient pas compte du sexe. Le Ramjam passa sa langue entre ses lèvres sèches. Ainsi vêtue, l'étrangère n'en était que plus féminine. Le soleil naissant illuminait ses cheveux et leur donnait cette nuance nacrée des champs de blés mûrs, dans les riches vallées méridionales.

Deux gaillards chargés de sacs à provisions entrèrent dans son champ de vision, à la suite du couple. Le Ramjam émit un rire grinçant :

— Alors, il l'emmène chez Zambu! grommela-t-il. Il est fou! Ils sont tous fous!

L'adolescent qui se tenait près de lui hocha la tête.

— Ils étaient dans la même chambre hier soir, affirmat-il avec un rire niais.

— Comme c'est bizarre! A peine le frère disparaît-il, que la sœur arrive.

— Fatalité! Fatalité! répéta l'adolescent.

Incommodé par la lumière du jour, le vieux Ramjam quitta son poste d'observation en soliloquant :

— Il n'a pas le droit de l'emmener hors de Punakha-dzong mais il le prend. Et moi, pauvre Ramjam, que puis-je faire pour l'empêcher? Rien du tout! L'Américain est le protégé de Zambu et Zambu est le diable! Donc je n'ai rien vu, rien entendu, la fille s'est volatilisée, comme son frère...

En dodelinant de la tête, il saisit une longue pipe en forme de calumet. D'une main impatiente, il posa dans le foyer une boulette d'opium et s'évertua à l'allumer. Il tressaillit de plaisir anticipé. Ensuite, il s'étendit en face d'une splendide *thanqka* accrochée au mur. Fixant ce paysage paradisiaque, le vieillard tira sur sa pipe. Dès les premières bouffées, son cerveau fut envahi par les vapeurs d'opium. C'était divin. Heureux, sentant le nirvâna tout proche, le Ramjam pensa une ultime fois aux deux étrangers, qui s'apprêtaient à quitter la cité.

— Rien vu... rien vu... ces deux-là courent à leur perte... le pays du dragon aura raison de leurs pauvres têtes occidentales!

Les remparts de Punakha s'éloignaient un peu plus à chaque virage, jusqu'au moment où ils disparurent définitivement. Il n'y eut alors que la montagne et la forêt vierge. L'unique route praticable serpentait dans un paysage chaotique. La Jeep dérapait sur un terrain glissant.

David Duncan conduisait en silence. Assise à son côté, Mélissa se laissait envahir par la sensation d'un rêve dans lequel elle s'enfonçait, sans espoir de faire surface. A l'arrière, les deux Bhoutanais caquetaient sans répit. Avant le départ, sur l'esplanade, David avait fait les présentations :

— Mélissa, voici nos guides, Bhotia et Tennerig.

Trois noms que personne n'avait répétés. Bhotia devait avoir vingt ans. Un visage rond, des yeux fuyants et de grosses lèvres bleuies par la consommation d'une cinquantaine de pipes d'opium par jour. De cinq ans son aîné, Tennerig avait les sourcils obliques et les pommettes saillantes. Considéré comme un grand fumeur (il avait atteint les cent pipes par jour), il avait ce regard bas et hardi des opiomanes. Tennerig avait prononcé une phrase en fixant Mélissa et, aussitôt, David l'avait rabroué dans sa propre langue.

— Vous parlez le dzongka? avait-elle demandé, étonnée.

— Juste assez pour mettre certaines choses au point, avait-il rétorqué, les sourcils noués; sachez que, pour nos guides, vous êtes ma femme.

29

— Votre femme?

— Oui, et c'est vous rendre service, avait-il riposté nerveusement, les Bhoùtanais sont de mœurs très libres.

— Je vois.

— Vous ne voyez rien du tout : s'ils savaient que vous êtes célibataire, ils ne manqueraient pas de vous faire des avances.

Ils roulaient depuis un moment. Mélissa était envahi par un sentiment d'irréalité. Tout en regardant le paysage elle se disait qu'elle avait commis une folie à vouloir suivre cet aventurier américain, qu'elle aurait mieux fait de rester à Punakha. Trop tard! La voiture avançait sur le chemin cahotant, gémissant de tous ses ressorts. « J'espère seulement que tante Abigaël aura reçu mon télégramme », songea-t-elle sans excès de conviction. Elle se souvint des termes : « Pas signe de Mathieu à Punakha. Pars à Pashemira en compagnie de David Duncan, l'homme des *Dossiers de l'écran*; stop! »

La voix du conducteur brisa le silence :

— Bientôt, nous aurons dépassé Tongsa.

— Que ferons-nous ensuite?

— Cette route mesure trois cents kilomètres. Il n'y en a pas d'autre.

— Alors, nous nous dirigeons vers une impasse?

— Nous continuerons à dos de mulet.

« Charmante perspective », pensa la jeune fille.

Une forteresse apparut, accrochée au sommet d'une colline dont elle prolongeait la forme. Enorme masse, imposante, elle se détachait en blanc sur le cobalt du ciel, surplombant la vallée.

— Thimbu, la capitale, annonça David. C'est le *dzong* le plus important du pays. Derrière ses murailles, il abrite plus de cent mille habitants.

— Fantastique. Mais n'y a-t-il que des forteresses, dans ce pays?

— Hormis quelques rares fermes, oui. Les bâtisseurs

bhoutanais entendaient, ainsi, freiner les invasions tibétaines et mongoles.

Mélissa regarda David de biais. Son profil volontaire se découpait dans la lumière. « Etrange! Auprès de cet homme je me sens en sécurité et, pourtant, c'est un aventurier ».

— Vous aimez beaucoup le Bhoutan, n'est-ce pas? dit-elle.

— Oui, admit-il, les yeux rivés sur le ruban de la route poudreuse, j'aime le Bhoutan et ses trésors!

Sa bouche se pinça sur le dernier mot et Mélissa comprit qu'il lui avait échappé. En silence, elle feignit de s'abîmer dans la contemplation des montagnes aux formes tourmentées, qui s'élevaient de part et d'autre du chemin. La voiture se mit à descendre au fond de la vallée. Bientôt, Mélissa n'eut devant les yeux que l'écheveau exubérant d'une forêt tropicale. Alentour, les montagnes masquaient le ciel et une nuée blanchâtre tamisait les couleurs. A l'arrière de la Jeep, les deux garçons s'étaient tus également. Ils semblaient en attente de quelque chose — et cela ne tarda pas à se produire : soudain, la voiture s'arrêta devant le mur sombre et poli de la verdure.

— Voilà, dit David, la route s'arrête ici.

Il donna quelques ordres en dzongka. Sortis de leur apathie, Bhotia et Tennerig sautèrent à terre et disparurent dans les taillis, transbahutant les sacs à provisions. Le jeune homme se tourna vers sa passagère.

— Près d'ici, il y a une clairière. Nous allons y camper.

Mélissa avala sa salive.

— Mais... n'y a-t-il pas d'animaux sauvages?

— C'en est infesté! Tigres, lions, serpents! (devant l'expression terrorisée de Mélissa, il éclata de rire.) Bhotia et Tennerig allumeront un bûcher pour les tenir éloignés, n'ayez crainte.

Il formulait les mots avec une politesse guindée, sans

plus. « Quelque chose ne tourne pas rond entre nous, mais quoi? » Il était sorti de voiture en claquant la portière et elle le regarda s'enfoncer dans le sous-bois à la suite des guides.

Mélissa frissonna.

« Quel étrange pays, se dit-elle, un pays hors du temps, un royaume de fin du monde... »

3

L'AIR était tiède, gorgé d'humidité. Sous la tente en poil de chameau, il devenait irrespirable. A l'extérieur, les flammes d'un grand bûcher éclaboussaient de rouge les feuillages et les troncs des bananiers. Au-delà du cercle incandescent s'étendait un monde d'ombre peuplé de grognements, de crissements et d'yeux phosphoriques.

Mélissa se réveilla avec un sentiment de danger imminent. La lueur grenat du dehors avait baissé; la silhouette d'un homme s'encadrait à l'ouverture de la tente, entre les deux pans. Un corps musclé, trapu, au torse développé et dont les contours se dessinaient sur le rougeoiement du feu.

— Qui est là? Tennerig?

C'était bien lui. Il répondit par un borborygme, puis entreprit une messe basse avec son compagnon, invisible aux yeux de Mélissa. Se redressant dans son sac de couchage, les yeux écarquillés, elle lança :

— *What are you doing here? Where is Mr. Ducan?*

Peine perdue, car aucun des deux Bhoutanais ne parlait un mot d'anglais. Elle essaya de les questionner en français, puis en espagnol, sans plus de succès. Maintenant, derrière Tennerig, la jeune fille pouvait apercevoir, faisant une tache claire, le visage glabre de Bhotia.

C'est alors que Tennerig entra sous la tente. A l'ombre de ses sourcils, ses yeux brillaient, sa bouche s'étirait en un sourire insolent sur ses dents blanches. Il se retourna et appela Bhotia, d'un ton encourageant. Le jeune garçon suivait son aîné, les yeux hypocritement baissés.

— Tennerig! Bhotia! Sortez! s'époumona Mélissa.

Pour toute réponse, Tennerig partit d'un rire bas et vulgaire, s'approcha davantage et, d'un geste rapide, tira sur la fermeture Eclair du sac de couchage, libérant le corps à moitié nu de la jeune fille. Avant qu'elle n'ait pu réagir, elle se sentit soulevée avec une force insoupçonnée, puis maintenue contre une poitrine ointe d'une huile odorante.

Mélissa se débattait comme une furie :

— Lâchez-moi immédiatement! Vous êtes dément! David! David!

· Tennerig s'essoufflait. Bhotia, qui semblait avoir repris courage, s'était avancé et contemplait la scène en riant à gorge déployée.

— Au secours! Au secours!

La taille emprisonnée comme dans un étau de fer, elle se demanda amèrement où avait bien pu passer David Duncan, son présumé époux! Fallait-il qu'il soit bête et présomptueux pour croire qu'un mot de lui suffisait à tenir éloignées ces deux brutes!

— Au secours!

Sa voix se brisa; l'instant suivant, une bouche brûlante s'écrasa contre la sienne, tandis qu'une main indélicate lui arrachait sa chemise, comme une mince feuille de papier. Folle de terreur, Mélissa bourra de coups la poitrine et le visage de son agresseur. Imperturbable, celui-ci promena un regard concupiscent sur les seins palpitants qu'il venait de découvrir : deux pommes nacrées aux bouts teintés de rose pâle. D'une voix rauque, il intima quelque chose à Mélissa. Quant à Bhotia, témoin hilare l'horreur, il continuait à rire, se frappant le ventre et les cuisses.

Répétant l'ordre, Tennerig repoussa sa captive à la renverse et l'écrasa de tout son poids. Écœurée, Mélissa s'aperçut qu'elle allait subir les ardeurs du premier guide, avant d'être livrée au second.

« David! Oh! David! » songea-t-elle, alors que le Bhoutanais lui infligeait quelques morsures dans le cou et sur la chair satinée des épaules. Soudain, une voix sèche retentit sous la tente :

— Tennerig! Fils de chien! Relâche cette femme ou je te tue!

Ayant reconnu la voix de son patron, le jeune Bhoutanais se redressa vivement, le visage blême, les vêtements en désordre. David Duncan était en tenue de chasse et tenait à la main un revolver de gros calibre. Il donna quelques ordres d'un ton tranchant, tout en gesticulant. Les deux intrus se dirigèrent vers la sortie. David laissa passer Bhotia; le pauvre garçon récitait des prières de la *matra* et pleurait avec des cris porcins. Quand Tennerig fut à sa hauteur, David détendit son bras libre et lui décocha un formidable coup de poing sur la mâchoire. Le Bhoutanais s'abattit sur les genoux, les mains rougies par le sang qui giclait de sa lèvre fendue. Il se releva, chancelant, le visage haineux.

— Vous êtes un mauvais maître! hurla-t-il, retrouvant comme par magie l'usage d'un anglais cassé; moi, Tennerig, refuse de vous suivre.

— Ainsi, tu m'as menti en prétendant que tu ne parlais que le dzongka! C'était pour mieux nous espionner, hein?

— Pourquoi m'avoir battu?

— Je t'avais prévenu, chien galeux, que tu ne devrais pas porter la main sur ma femme.

— Elle n'est pas ta femme! J'ai entendu votre conversation ce matin. Toi aussi, tu as menti.

— Je n'ai pas à me justifier. Allez, ouste! Déguerpis!

— Je m'en vais et j'emmène mon cousin. Bhotia! Bhotia!

Le garçon surgit de la futaie, essuyant ses larmes.

— On rentre à Punakha! jeta Tennerig, l'Américain veut garder la femme blanche pour lui tout seul.

Bhotia cracha par terre.

— Qu'ils soient maudits! jura-t-il.

Le colt à la main, David regarda les deux Bhoutanais s'enfoncer dans la nuit. Il allait regagner sa tente, lorsqu'il vit Mélissa venant à sa rencontre. Elle semblait bouleversée. L'ourlet de sa chemise traînait en lambeaux sur le gazon presque noir du sol et les flammes du brasier inondaient d'incarnat sa peau et ses cheveux.

Ainsi vue, elle était belle à couper le souffle. « Ou elle ne se rend pas compte de l'effet qu'elle produit sur les hommes, ou c'est une allumeuse, une femme-enfant ».

— Miss Dandillot, vous êtes en état de choc, allez vous coucher. Demain une rude journée nous attend.

Comme il était arrivé près d'elle, il aperçut son beau visage anxieux, la masse dorée de sa chevelure et, à travers le tissu de la chemise, un sein blanc et rose.

— David, où étiez-vous? l'entendit-il dire, vous m'avez laissée seule et ces deux brutes...

— Ne suis-je pas revenu à temps? coupa-t-il d'un ton rude. Allez vous coucher!

— J'ai peur sous ma tente, je ne dormirai pas de la nuit.

— Alors, venez sous la mienne, je vous offre l'hospitalité.

Il s'engouffra dans la tente de la jeune fille et resurgit avec le sac de couchage. Mélissa le laissa faire, debout, indécise. Passer la nuit avec un homme, sous prétexte qu'on se trouve dans les tréfonds de la jungle, était-ce raisonnable?

— Rien ne l'est moins, ma fille, aurait dit Abigaël, la vie elle-même est le plus bel exemple de déraison.

— Vous venez?

La toile assourdissait la voix de David, Mélissa entra sous la tente, non sans appréhension. Elle se figea. Déjà couché, le jeune homme avait rabattu ses couvertures jusqu'au menton.

— Votre lit est au fond, annonça-t-il, un rien ironique, le plus loin possible du mien, bien sûr.

Pendant un instant, elle regarda le visage d'ange qui émergeait parmi les couvertures, faiblement éclairé par une lampe à naphte. Sans mot dire, elle alla s'allonger à sa place, tirant rageusement sur la fermeture Éclair du sac de couchage.

— Bonne nuit, Mélissa.

Sans attendre sa réponse, l'homme éteignit la lampe et tout fut plongé dans l'obscurité. Au bout d'un moment, à la respiration régulière de son compagnon, Mélissa comprit qu'il s'était endormi.

« Quelle personnalité bizarre! songea-t-elle. Aurait-il une éducation de gentleman sous ses apparences d'aventurier? » Elle se prit à penser que David n'avait pas eu un seul regard pour elle, depuis qu'ils avaient quitté Punakha. Une question insistante et insidieuse se formula dans son esprit.

« Après tout, pourquoi m'emmène-t-il avec lui à la Tanière du Lion? »

Le lendemain, ils poursuivirent le voyage à dos de mulet, comme David Duncan l'avait prévu. En l'absence de leurs guides, ils avaient dû abandonner sur place tentes et sacs de couchage, beaucoup trop lourds pour leurs montures. La femme qui leur avait vendu les mulets, pour une somme dérisoire, habitait une maison délabrée construite en torchis, au flanc d'une colline. C'était une Bhoutanaise d'âge canonique, ridée comme une noix. Alors que David était parti à l'enclos inspecter les mulets, en compagnie du petit-fils de la vieille, Mélissa avait découvert avec surprise que celle-ci parlait un anglais correct et, même, quelques mots d'espagnol.

— Où avez-vous appris ces langues? demanda-t-elle, heureuse de pouvoir communiquer avec quelqu'un.

La vieille révulsa ses prunelles vers le ciel nébuleux.

— Les Anglais ont colonisé mon pays, rétorqua-t-elle en lançant à quinze pas un crachat cotonneux; quant aux Espagnols, ils sont passés par ici comme marchands. Bah! Les hommes blancs sont pires les uns que les autres, sans vouloir vous offenser.

Elle fixa la jeune fille d'un œil de braise :

— C'est ton mari? fit-elle en désignant David, qui revenait tenant la bride des mulets.

Mélissa en fut inexplicablement troublée :

— Euh... oui, répondit-elle, songeant qu'il serait trop compliqué d'expliquer la situation.

La vieille s'accroupit et fit tinter dans sa poche les deux pièces de cinq dollars que David lui avait données.

— Bel homme... marmotta-t-elle... Un autre homme blanc est passé, il y a quelques mois, il avait les mêmes yeux, les mêmes cheveux que toi.

Mélissa sursauta, comme si elle avait reçu une décharge électrique : « Mathieu! ».

— Vous a-t-il dit son nom?

L'autre remua à nouveau les deux pièces dans sa poche.

— C'était un homme malade, dévoré par la fièvre jaune. Il n'en avait plus pour longtemps. Elle ébaucha un méchant sourire : Plus pour longtemps! répéta-t-elle d'un air joyeux.

La gorge nouée, Mélissa essaya de se persuader que la vieille délirait, que l'homme en question n'était pas Mathieu. En vain! David s'étant approché, elle se hissa sur un des mulets, le plus petit, sans un mot.

— Que les dieux vous accompagnent, susurra la vieille en une étrange mélopée, et n'oubliez pas : tant que vous serez dans la jungle, ne lâchez pas votre arme.

Les autres habitants de la ferme, trois gosses efflanqués et deux adolescentes, sortirent de leur torpeur juste pour regarder passer les deux étrangers montés sur leurs mulets. Rapidement, ils disparurent dans les sinuosités d'un sentier graveleux.

Les mulets avançaient lentement, à leur propre rythme; il eût été vain de les faire avancer à une allure plus rapide. Au fur et à mesure qu'ils descendaient la colline, il faisait une chaleur d'enfer. Quand ils atteignirent la forêt, ce fut comme s'ils plongeaient dans une fournaise. Les rayons du soleil ne parvenaient pas à traverser l'épaisse coupole de feuillages et les deux cavaliers évoluèrent dans un univers vert émeraude regorgeant d'insectes. Il n'y avait ni ombre ni lumière, seulement un clair-obscur vaporeux.

— Dieu, quelle humidité! soupira Mélissa, cette route me paraît inextricable.

— Les mulets connaissent parfaitement le chemin.

David Duncan allait de l'avant, sans se soucier de sa compagne. De son côté, Mélissa s'efforçait de ne jamais le perdre de vue, car une peur sournoise l'étreignait : « Seule, jamais je ne trouverai la sortie de ce labyrinthe vert. »

— Quel effet cela vous fait-il, la jungle? demanda-t-il.

— Je n'aime pas.

— Pourquoi?

— Je ne sais pas... cette végétation qui s'accroît à l'infini, cette vie qui se multiplie et grouille sur la pourriture végétale, m'effraient.

Il sourit.

— Vous êtes une poupée de luxe destinée à vivre dans un salon. Moi, j'aime la jungle! Du moins, je la préfère à certaines villes comme Los Angeles ou New York. A propos, miss Dandillot, que faites-vous dans la vie?

Il se retourna en attendant sa réponse et la vit venir vers lui, se balançant sur son mulet gris perle moucheté de noir. Il se mordit la lèvre; son agressivité tomba d'elle-même.

Dans le halo vert menthe de la jungle, Mélissa resplendissait. Ses cheveux dorés, ses yeux bleu de Prusse, sa peau blonde, tout en elle accrochait la lumière.

— Je ne fais pas grand-chose, avoua-t-elle. Je mène une vie d'oisive, grâce à mes rentes. Tante Abigaël prétend que ne rien faire est un art.

— Vous ne vous ennuyez pas?

— A Paris, je poursuis des études d'archéologie. Je voudrais, plus tard, travailler avec mon frère.

Elle s'interrompit, devint blême; ses yeux élargis par la peur fixaient un point droit devant elle.

— Chut! murmura-t-elle. On est suivis!

Il y eut un temps où chacun essaya de fouiller du regard l'enchevêtrement végétal. Un vague craquement se fit entendre dans les broussailles. David dégaina son revolver et sauta à terre.

— Il y a quelqu'un? hurla-t-il.

Silence.

— Sortez de là! On vous a vu!

Personne ne répondit. Le jeune homme avança vers la direction indiquée par Mélissa, son colt à bout de bras. Vissée sur sa monture, elle le regarda s'introduire dans le gouffre vert et disparaître.

« Seigneur! faites qu'il revienne! »

Restée seule, la jeune fille caressa le pelage de son mulet, pour se rassurer. Elle éprouvait le besoin de toucher quelque chose qui ne l'agressait pas. La bête émit un doux hennissement, puis elle commença à brouter une touffe d'épines. Les minutes s'égrenaient lentement.

— David?

Pas de réponse. Tout autour, il n'y avait que ce silence effrayant peuplé de crissements et du suintement des feuillages qui dégouttaient. Mélissa eut le sentiment d'une extrême solitude, d'une coupure définitive avec le monde extérieur. Elle laissa son regard errer sur les troncs moussus que les lianes enserraient. Au-delà, il n'y avait rien!

— David! Où êtes-vous?

N'y tenant plus, elle sauta à terre; ses bottines s'enlisèrent dans un sol mouvant et visqueux. Son cœur cognait violemment dans sa poitrine. Et si jamais il était arrivé un accident à David Duncan? Pis! S'il l'avait tout simplement abandonnée là? Elle porta une main à son front bouillant. Oui. Bien sûr! Dès le départ, quelque chose ne collait pas dans le comportement de cet homme.

« D'ailleurs, que sais-je de lui? » Elle dut convenir qu'elle n'en savait rien et revit en pensée le petit professeur d'histoire qui avait attaqué David Duncan lors de la fameuse émission télévisée sur les chasseurs de trésors. Agressif, un index contradicteur levé en l'air, le petit historien lançait des imprécations:

— Deux de vos compagnons sont morts aux îles Galapagos, dans des circonstances jamais élucidées, non? Vous êtes revenu seul, en possession d'un fabuleux trésor inca que vous avez vendu pièce après pièce...

Qu'avait répondu David Duncan? Il avait prétexté une cabale et habilement détourné la conversation. Il n'avait guère eu l'air ému qu'on lui rappelât ses malheureux camarades. Le cœur de Mélissa se serra.

— David! hurla-t-elle.

Elle entendit des brindilles crisser sous des pas et s'élança à sa rencontre. « Non! Je savais qu'il ne m'aurait pas abandonnée. » L'homme se tenait appuyé contre le tronc lisse d'un ébénier; il lui tournait le dos.

— David, répondez-moi!

Il se retourna juste à temps pour l'accueillir dans ses bras. Elle vit son visage tout près du sien et crut défaillir. Ce visage-là n'était pas celui de l'Américain. C'était une pâle lune traversée d'une balafre en zigzag. « Mon Dieu! Le Mongol! » Ce fut sa dernière pensée. L'instant d'après, elle s'affaissa sur l'humus, comme on sombre dans le néant.

Deux gifles sèches ramenèrent un léger rose aux joues

exsangues de Mélissa; ses paupières festonnées de longs cils s'ouvrirent lentement. David était penché sur elle.

— Vous... gémit-elle.

— Pour l'amour du Ciel, que vous est-il encore arrivé?

— J'ai revu l'homme qui m'avait suivie à Punakha, le même qui avait propulsé son couteau dans ma chambre.

— C'est impossible! Je n'ai vu personne. J'ai pourtant passé au crible les environs.

Mélissa se mit sur ses coudes.

— Mais moi, je l'ai vu! C'est un Mongol balafré, vêtu d'un *Ko* en peau de yak, je vous jure que je l'ai vu.

Il la considérait, incrédule :

— Calmez-vous. Comment nous aurait-il suivi jusqu'ici?

Elle se laissa retomber sur le sol avec lassitude.

— Dites tout de suite que je suis folle!

— Vous êtes simplement un peu fatiguée. Il existe certaines plantes dans cette jungle dont la seule odeur peut provoquer des hallucinations.

Tout en parlant, il l'avait saisie sous les aisselles, essayant de la soulever. Elle se laissa faire avec un air résigné. David la souleva dans ses bras et, en un geste spontané, elle passa les bras autour de son cou. Ses terreurs s'apaisèrent. Mélissa sentait tout contre elle le corps du jeune homme dont elle percevait les contractions. Grisée, elle posa sa tête sur l'épaule de son compagnon. Chargé de son léger fardeau, celui-ci s'avançait vers les mulets, qui paissaient tranquillement. Une pensée toute simple traversa l'esprit de la jeune fille : « J'aurais aimé qu'il m'emmène ainsi, dans ses bras, jusqu'au bout de notre voyage. »

— Nous y voilà! dit le jeune homme.

Il fit mine de la poser par terre mais, brusquement, il la serra fortement contre lui et, dans un mouvement subit, il lui prit les lèvres. La jeune fille fut surprise par le flot de chaleur qui la submergea. La bouche de David emprisonnait la sienne et elle sentit une langue agile se glisser entre ses lèvres d'une façon possessive. Elle renversa la tête en arrière et, alors que le baiser se prolongeait, elle songea confusément qu'elle se trouvait au bord d'un abîme. Quand l'homme la relâcha, la considérant d'un étrange regard brumeux, Mélissa caressa du doigt la courbe meurtrie de sa lèvre inférieure.

— On doit partir, dit-il d'un ton sec. J'aimerais sortir de cette forêt avant la tombée de la nuit. Montez!

Elle obéit et grimpa sur son mulet. Il enfourcha sa monture et repartit en avant, sous le dôme vernissé des cytises et des palétuviers. La jeune fille suivait, songeuse. En l'espace de ce baiser, elle avait compris que plus rien ne serait comme avant. « Je suis en train de tomber amoureuse de cet homme, il ne manquait plus que ça! » Mais lui? Quels étaient ses sentiments? Malgré son inexpérience, la jeune fille avait su déceler l'étendue du désir qu'elle lui inspirait. Oui, mais ne confondait-on pas souvent désir et amour?

— Attention, on va monter! fit la voix de David.

Revenue à la réalité, Mélissa contempla un paysage grandiose. Soudain les arbres s'étaient écartés comme par miracle, et l'air était devenu plus frais. La jungle s'achevait au pied d'une chaîne montagneuse.

— Les *Black Mountains*, annonça l'homme en fixant un sommet qui se découpait en sombre sur un ciel sulfureux, nous ne sommes pas loin de la Tanière du Lion.

— Je ne vois qu'un désert de rocaille.

— Méfiez-vous; cette montagne dissimule dans ses creux et ses ravins de riches vallées.

Les mulets s'engagèrent sur un chemin montant, tarabiscoté, taillé dans les basaltes. Combien de temps dura l'ascension? Mélissa n'aurait su le dire, car elle en avait perdu la notion. Un vent violent s'était levé, pourchassant impitoyablement des nuages mauves et safranés. Des rayons obliques hachuraient l'atmosphère. Sur sa monture, David Duncan avançait, sans jamais se retouner, sans prononcer le moindre mot. La jeune fille se demanda si Mathieu avait emprunté ce même chemin. Le saurait-elle jamais?

— Hé! Attendez-moi! cria-t-elle.

Les mulets commencèrent à accélérer, martelant le roc de leurs sabots. Ensuite, pour une raison obscure, ils se remirent au pas et, finalement, s'arrêtèrent à un tournant.

— Descendez! ordonna David.

— Mais... pourquoi?

— Vous ne voyez pas? Il n'y a plus aucun chemin. Les bêtes retourneront à leur ferme, elles ont l'habitude.

— Ah! vous ne les aviez pas achetées?

— Pour dix dollars? C'est le prix de leur location.

Ensemble, ils firent quelques pas jusqu'au bord du sentier. Interloquée, Mélissa avisa, au fond d'un ravin, une étroite vallée plantée de palmiers et d'érables. A travers l'écran vert de la végétation, elle apercevait les murs blancs d'innombrables maisonnettes au toit en pagode et, plus haut, dominant le tout, un imposant édifice construit à la confluence de deux torrents. Ainsi vu de loin, il ressemblait à un navire entouré d'eau tumultueuse, l'étrave plongeant au point où les torrents se rejoignaient.

— Pashemira... murmura-t-elle, fascinée, cela dépasse toute imagination.

— Venez!

Il força l'allure et ils se mirent à dégringoler la pente parsemée de ronces et d'arbustes épineux.

— Parce que vous me l'aviez demandé, ma chère!

Il souligna le dernier mot. Sa voix était glaciale. Lui jetant un regard à la dérobée, Mélissa lui trouva un air impénétrable. Un reflet diffus se dégageait de son profil, qui, par un jeu de lumière, semblait modelé dans l'opaline.

Malgré elle, Mélissa frissonna. L'homme qui marchait maintenant à son côté, droit comme un cyprès, n'avait plus qu'une très vague ressemblance avec celui qui, quelques heures auparavant, l'étreignait amoureusement sur son cœur.

— J'ai eu tort de vous suivre, n'est-ce pas? dit-elle.

— Que faut-il vous répondre? riposta-t-il, un rien méprisant. Vous verrez bien...

Mélissa continua sa marche vers Pashemira en silence, avec la triste conviction qu'elle avait commis une erreur fatale.

4

AU fur et à mesure qu'ils avançaient, des gens émergeaient de leurs huttes. Mains levées, brandissant de petits drapeaux américains, des lauriers et des branches de rhododendrons en fleurs, ils venaient à leur rencontre, parmi des cris et des chants. Pour les saluer à son tour, David Ducan leva les bras, déchaînant aussitôt une interminable ovation.

« Il est connu à Pashemira. » Mélissa ne put s'empêcher de sourire.

— Dommage que nous ayons abandonné nos montures, lança-t-elle. A dos de mulet, vous eussiez réussi, dans cette cité, une entrée digne du Messie! Au fait, on dirait que vous représentez pour eux une célébrité locale.

Il la fixa de biais, d'un regard où roulaient des lueurs fauves :

— Je suis déjà venu à cet endroit. Sachez que, bientôt, j'aurai atteint mon but, et ce ne sont ni une petite demoiselle Dandillot ni son présumé frère qui pourraient m'en empêcher. C'est compris?

— Puisque vous le dites si gentiment...

Elle s'épongea le front — le fond de l'air était pourtant frais, presque froid. Cette histoire était devenue un puzzle dont il manquait les principales pièces.

Cependant, elle entrevoyait des fragments de vérité.

Un : l'Américain avait été contrarié par sa présence et, plus encore, par l'existence de Mathieu. Deux : il avait préféré l'emmener avec lui, plutôt que de la laisser seule à Punakha. Que craignait-il au juste?

« Il doit me tenir pour une concurrente, Dieu seul sait pourquoi. La confiance règne! Et moi, fleur bleue, j'avais cru un instant qu'il pouvait éprouver à mon égard une attirance ou même de l'amour! Gourde! Gourde! Qu'est-ce qu'un baiser? »

Des larmes jaillirent au coin de ses grands yeux; elle se dépêcha de les essuyer d'un revers de main. Décidément, en présence d'une femme, les hommes se croient toujours obligés de jouer la comédie de l'amour

Mélissa se laissa emporter par une foule endimanchée, enrubannée, surexcitée à la seule vue de David Duncan. Les hommes portaient des *Ko* blancs. Ceux des femmes, plus longs, d'un blanc de neige, étaient retenus aux épaules par deux broches en or. Des colliers et des bracelets de turquoises, d'agates et de coraux miroitaient dans la buée rose du crépuscule. Ainsi escortés, ils traversèrent la cité, inextricable dédale de ruelles bordées d'habitations basses en pierre et en torchis. Enfin, la laissant derrière eux, ils commencèrent à gravir les marches du palais.

— Vous aviez, pourtant, affirmé que toutes les villes au Bhoutan ont l'aspect des *dzongs,* souffla Mélissa.

— C'est exact. Celle-ci en est l'exception. Le seigneur de Pashemira n'a guère besoin de murailles, sa vallée étant protégée par les Montagnes Noires d'un côté et l'Himalaya de l'autre.

L'escalier s'élevait en pyramide. Une rangée de domestiques de chaque côté des marches, sanglés dans des uniformes noirs brochés d'or et d'argent, accompagnèrent les nouveaux arrivants jusqu'au sommet.

— Faites-moi plaisir, Mélissa, murmura David juste avant de franchir les dernières marches : quoi qu'il vous en coûte, ne dites rien, ne parlez de rien.

Il ajouta après une pause :

— Vous me faites confiance, n'est-ce pas?

— Je ne demande pas mieux, soupira-t-elle.

Ils arrivèrent devant un hémicycle de colonnes en lapis-lazuli qui flanquaient la colossale porte d'entrée. Juste devant le battant d'ébène, Mélissa avisa deux personnages qu'elle prit pour le seigneur et son épouse. Elle se trompait! A la vue de David, la présumée maîtresse de maison s'élança à sa rencontre en poussant des cris de petite fille. Il la reçut dans ses bras et la serra contre lui.

— Oh! David! Mon cher David! comme vous nous avez manqué! s'exclama-t-elle dans un anglais de chanteuse d'opéra. Ce que Pashemira a pu être morne, on languissait de vous!

— Me voilà, Assun-da! Je vous ai promis de revenir et j'ai tenu parole.

— Oui, vous êtes de retour, roucoula-t-elle, et vous avez amené une femme avec vous!

Il feignit l'étonnement.

— Une femme? Vous parlez de Mélissa? C'est une très bonne amie...

— Une sœur, pour ainsi dire! ajouta la jeune fille.

David lui jeta un regard reconnaissant qui lui fit mal.

— Une sœur, exactement, reprit-il en enlaçant la jeune femme par la taille. Je vous expliquerai plus tard les raisons de sa présence.

Interloquée, Mélissa regarda le couple franchir la porte d'ébène. La femme que David avait appelée Assun-da possédait ce genre de beauté fatale dont parlent les poètes maudits. Son vêtement fluide, sang de bœuf, rehaussait l'ivoire de sa peau. D'un brun profond passé au henné, sa chevelure scintillait aux derniers rayons du couchant. Mais le plus étonnant chez elle, c'était ses yeux; immenses joyaux étirés vers les tempes, festonnés de cils noirs et drus, qui frémissaient sur des iris couleur d'ambre gris.

« Oui, elle est belle, constata Mélissa, avec un pincement au cœur; m'a-t-il donc emmenée jusqu'ici pour me montrer sa maîtresse? »

Le soleil déclinait, colorant de pourpre et de grenat la façade du palais. Une douce voix tira Mélissa de ses interrogations :

— Puis-je vous être utile?

Elle se retourna vivement et aperçut le compagnon d'Assun-da, celui qu'elle avait pris pour le maître de céans. Un personnage chauve, émacié, au teint fiévreux, flottant dans un *Ko* noir et dont toute la vitalité semblait concentrée dans le regard. Il souriait et la saluait aimablement.

— Oh! Bonsoir! fit-elle, consciente de sa maladresse, je ne pense pas que vous puissiez m'aider en quoi que ce soit, je... je suis de passage!

Il haussa les obliques de ses sourcils.

— Nous sommes tous de passage en ce bas monde, mademoiselle.

— Vous avez raison, sourit-elle; est-ce vous le seigneur de Pashemira?

— Parfois.

— Comment cela?

— Mon frère, Zambu, daigne partager son pouvoir avec moi. En fait, c'est lui qui dirige. Il s'inclina en ajoutant : Je m'appelle Dalaï-Tambu.

Elle s'appuya au bras anguleux qu'il lui offrit. Pour une raison inconnue, la physionomie de cet homme la rassurait. Il émanait de sa personne une aura de bonté. Le portail franchi, il s'inclina une seconde fois.

— Un domestique vous conduira à votre chambre. Nous nous reverrons ce soir, au dîner.

Il frappa trois fois dans ses mains. Au grand gaillard qui apparut, il donna quelques ordres, puis, se tournant vers la jeune fille :

— Suivez-le. Je vous ai donné une chambre fort agréable, loin du bruit des cuisines et des salles communes. Reposez-vous bien. A ce soir.

Mélissa le vit s'éloigner, avec regret. Elle aurait voulu lui poser une foule de questions. Elle se résigna à attendre. Depuis un moment, elle avait compris que l'Orient vivait selon un autre temps que l'Occident. Elle se résolut donc à emboîter le pas au géant bhoutanais. Celui-ci s'arrêta devant une porte, l'ouvrit, remit la clé au creux de la main de Mélissa et tourna les talons. Pendant un long moment, la jeune fille contempla le couloir aux murs décorés de motifs bouddhiques : conques, fleurs de lotus, poissons d'or, amphores incrustées de nacre.

Une fois dans sa chambre, elle se laissa tomber sur le lit — large sofa recouvert d'une riche étoffe brodée de fils de soie multicolores — en se demandant par quel miracle elle allait pouvoir communiquer avec sa tante. Mais, au fait, pour lui dire quoi? Elle s'amusa à imaginer le message : « Chère Abigaël, non seulement je n'ai pas trouvé trace de Mathieu, mais je suis en perdition moi-même! » Elle ébaucha une moue. En vérité, le tableau était peu reluisant. « Mathieu... David... » ivre d'incertitude et de fatigue, elle sombra dans un sommeil profond comme un puits.

5

LES convives étaient assis en tailleur sur d'énormes coussins, autour d'une table basse recouverte d'une nappe damassée. Quand Mélissa fit son entrée, les conversations allaient bon train, hachées de rires et d'exclamations.

— Bonsoir, dit-elle, excusez mon retard, je me suis endormie.

Tous les hommes présents détaillèrent en silence sa fine silhouette, son visage ovale dévoré par deux yeux d'un bleu étincelant, enfin, sa luxuriante chevelure qui accrochait la lumière des lustres. Un petit homme grassouillet, dont le visage joufflu et les yeux bridés trahissaient les origines chinoises, s'exclama :

— Elle est aussi belle qu'une reine des *Mille et Une Nuits*.

Mais le regard de la jeune fille voguait ailleurs. En bout de table, David Duncan était affalé aux côtés d'Assun-da, dont il semblait boire les paroles.

— Voici votre place, fit la voix de guitare désaccordée de Dalaï-Tambu, c'est ici, près de moi.

Elle s'assit machinalement en se disant que, malgré le compliment du Chinois, elle devait avoir l'air ridicule dans son jean moulant et son tee-shirt délavé. Comme par un fait exprès, Assun-da fixa sur elle ses prunelles cruelles.

— Mélissa, lança-t-elle, vous permettez que je vous appelle par votre prénom? Vous êtes si jeune!

— J'ai déjà vingt-deux ans!

— J'en ai près de quarante, ma chère enfant! Et...

Mélissa poussa un soupir d'exaspération :

— Et vous auriez pu être ma mère! Eh bien?

Le regard de l'autre s'obscurcit.

— Eh bien, puisque vous devancez mes pensées, je me proposais de vous montrer quelques tenues que je ne porte plus et qui pourraient vous intéresser. Ainsi vêtue, vous avez l'air d'une pauvresse.

Piquée dans son amour-propre, Mélissa releva le menton :

— J'ai omis, madame, d'enfermer dans mon bagage manteaux de léopard et robes de haute couture, car je pensais arriver dans un pays aussi indigent qu'arriéré, ce dont je m'excuse.

Devant le silence haineux d'Assun-da, le Chinois crut bon d'intervenir :

— Miss Mélissa n'a nul besoin d'artifices, son teint est de nacre, ses iris de saphir clair, elle a des dents de perle et l'or le plus pur lui couronne la tête.

Ses voisins approuvèrent en riant bruyamment. Ils étaient au nombre de quatre, tous bhoutanais, mais leurs visages durs et leurs *Ko* uniformes leur donnaient un air de gardes du corps.

— Merci, dit Mélissa, rougissante, seriez-vous poète?

— Vous l'avez deviné, mademoiselle; je suis un poète à la recherche de sa muse!

Il la dévorait des yeux. Répugnant à ne pas être la seule beauté à table, Assun-da réattaqua :

— Comme vous parlez bien, mon cher Yang-Lee, mais ne pensez-vous pas que, quelle que soit la qualité du joyau, l'écrin compte aussi? C'est pourquoi je voulais offrir une robe à cette jeune fille.

— Gardez vos robes, madame, répliqua Mélissa, je n'accepte que les cadeaux d'amitié.

— Quelle est cette sottise? dit David Duncan.

Il la fixait sombrement, le visage crispé. « Il est sur des charbons ardents et je me demande pourquoi. A-t-il peur que je déplaise à sa maîtresse? C'est déjà fait. Craint-il que l'on apprenne la raison de ma présence? » Elle le fixa à son tour :

— Je n'aime pas les cadeaux empoisonnés, souligna-t-elle.

Elle se tut brusquement. Pour se donner une contenance, elle saisit machinalement la timbale que Dalaï-Tambu lui tendait. C'était une coupe de métal lourd remplie d'une liqueur transparente que son hôte lui conseilla de boire lentement. Alors que les conversations reprenaient progressivement, elle y trempa ses lèvres.

— Comment trouvez-vous cette boisson? demanda Dalaï-Tambu.

— Elle est exquise. Qu'est-ce?

— Un extrait de cactacée.

Le regard de Mélissa se porta sur son verre. L'extérieur était givré, alors que l'intérieur gardait une étrange tiédeur. Elle en observa la couleur et le poids : il était en or massif.

— Oui, de l'or! affirma Dalaï-Tambu, comme s'il devinait ses pensées. On dit que, dans votre monde occidental, il coûterait une fortune. Ici, il n'a qu'une valeur symbolique.

— Et esthétique, sans doute?

— C'est exact. Voyez-vous, Mélissa, vous vivez dans la civilisation de *l'avoir*. Nous autres bouddhistes, nous vivons dans celle de *l'être*.

— Je vois... murmura-t-elle, pensive.

Au même moment, elle songeait : « Voilà pourquoi David Duncan se trouve en ce lieu. » Elle ne put s'empêcher de le regarder une nouvelle fois. Leurs regards se croisèrent, comme deux lames tranchantes. Celui de David Duncan exprimait une volonté féroce. Mélissa baissa les yeux la première, se promettant de l'ignorer pendant toute la soirée.

— Enfin, le repas! s'exclama Yang-Lee, je mourais de faim.

Une ribambelle de serviteurs tout de blanc vêtus avaient envahi la salle à manger, portant des plats fumants. Comme les timbales, toute la vaisselle était en or massif. En hôte attentionné, Dalaï-Tambu servit sa voisine en commentant le menu :

— Gigot de yak vinaigré, riz brun et maïs, sauce additionnée de *chang,* notre bière locale.

Elle goûta aux mets tout en s'efforçant de faire abstraction de la scène qui se déroulait en face d'elle. Insupportable vision que celle de David penché vers Assun-da et lui chuchotant à l'oreille des mots qui la faisaient rire aux éclats! Se sentant observée par son voisin, elle lui adressa un pâle sourire :

— Vous savez, dit-elle avec franchise, vous êtes la seule personne qui me traite gentiment.

Elle aurait voulu lui demander pourquoi, mais les mots ne venaient pas.

— Et vous voulez savoir pour quelle raison.

— Je vois que vous savez lire dans la pensée des autres.

Il hocha sa tête rasée au crâne poli comme le cuivre.

— Amithaba, le dieu de l'amour, m'a doté de ce pouvoir, répondit-il humblement, mais je ne puis l'exercer qu'en présence d'êtres fondamentalement bons. Seules les âmes limpides comme le cristal livrent leur secret.

Elle décortiqua un morceau de yak et lui trouva un goût âpre.

— Et quel est mon secret? hasarda-t-elle.

Il ne répondit pas, mais continua à la dévisager d'un air

impénétrable. Décontenancée, elle chercha à faire diversion :

— Où se trouve en ce moment le seigneur de Pashemira?

La mine émaciée de Dalaï-Tambu se creusa davantage.

— Mon frère nous inflige souvent des absences inexpliquées.

— Mais vous, vous devez connaître son secret, non?

Dalaï-Tambu reposa sa timbale à moitié vide.

— Oh, non! murmura-t-il. Hélas! son âme est aussi opaque que l'obsidienne. Zambu porte bien son nom, cela veut dire le Mal à l'état pur!

Mélissa repoussa son assiette; elle n'avait plus faim. Contemplant les morceaux d'une viande brune qui surnageaient dans la sauce, elle demanda :

— Et quelle est la signification de votre nom? Le Bien, sans doute?

Il acquiesça :

— Le Bien tout court, celui-ci n'étant jamais à l'état pur.

Un silence s'ensuivit, ponctué par le tintement des couverts et le brouhaha des convives. Yang-Lee n'avait pas cessé de fixer Mélissa.

— Mademoiselle, soupira-t-il, me permettrez-vous de composer un poème en l'honneur de votre beauté?

Il brandit un index prolongé par un ongle recourbé :

— Vous êtes un nénuphar sur le lac de mes rêves.

— Une rose blanche dans mon jardin des délices.

Ses voisins applaudirent et, manifestement satisfait de lui-même, il bomba son torse rondelet. Mélissa sourit. Malgré la répulsion qu'elle éprouvait pour Yang-Lee, ses gestes théâtraux et son langage fleuri l'amusaient. Elle ouvrit la bouche pour répondre à cet éloge, lorsque l'impossible se produisit!

Par une porte entrouverte donnant dans un vestibule en

marbre turquin, elle vit passer un homme. Il portait des vêtements européens. Un pantalon en toile élimée et une chemise écossaise. Une barbe blonde de plusieurs mois mangeait ses joues et son menton.

La vision ne dura qu'une fraction de seconde, mais cet homme, Mélissa l'aurait reconnu entre mille.

— Mathieu!

DEUXIÈME PARTIE

LE SEIGNEUR DE PASHEMIRA

6

MÉLISSA se redressa, blanche comme un linge, les
yeux suppliants. Ses compagnons de table s'étaient tus et
tous les regards s'étaient tournés vers elle.

Dalaï-Tambu réagit le premier :

— Que vous arrive-t-il, mon enfant? Pourquoi avez-
vous crié?

— Excusez-moi, je... le voyage sans doute, je suis
exténuée, je... je dois m'en aller — je veux dire me
retirer.

— Je vous en prie.

Consciente d'être le point de mire de l'assistance,
Mélissa se rua hors de la salle à manger. Dans le vestibule,
elle s'immobilisa, interdite. Plusieurs portes perçaient les
murs arrondis, toutes pareilles, en bois d'ébène aux
bas-reliefs représentant la vie de Bouddha. Elle se jeta sur
la première et, abasourdie, s'aperçut qu'elle était peinte en
trompe l'œil. La seconde était fermée à clé. Une sueur
glacée perla sur son front : et si tout cela n'était qu'une
hallucination? Un mauvais rêve? Pourquoi cette partie de
la demeure était-elle d'un style si différent du reste?

La troisième porte s'ouvrit sur un couloir laqué en noir,
faiblement éclairé par des appliques murales aux formes
étranges, monstrueuses. Il lui sembla entendre des pas qui
décroissaient. Sans réfléchir, elle s'élança en avant :

— Mathieu! Mathieu!

Les pas cessèrent. Un courant d'air s'engouffra dans le couloir, suivi par un bruit sec. La porte s'était refermée dans son dos. Mélissa eut beau la pousser de toutes ses forces, elle resta fermée. En vain la jeune fille chercha la poignée : il n'y en avait pas. Affolée, elle cria, tambourina. Peine perdue! L'épaisseur du bois étouffait tous les bruits. Elle finit pas s'adosser au battant en respirant profondément, essayant de raisonner :

« Voyons! Comme dirait Abigaël, quand on ne peut plus reculer, on est bien obligé d'avancer. »

Elle fit quelques pas hésitants. Sol, murs, plafond brillaient comme une galerie de glaces noire. Mélissa pouvait y voir son reflet, pâle fantôme échevelé. Poussée par une peur irrésistible, elle se mit à courir, fuyant sa propre image. Soudain, elle vit son double courir à sa renconte et, décontenancée, elle arrêta sa course. Le couloir aboutissait à un miroir.

Désespérée, Mélissa se laissa glisser le long de la paroi lisse en sanglotant. Elle ne se demanda même pas ce qu'elle allait devenir, elle était trop lasse pour cela. Emmurée, sans aucun espoir de retrouver Mathieu, elle en voulut, pour la première fois, à sa tante de l'avoir envoyée au Bhoutan. Brusquement elle se releva et, par intuition, poussa légèrement le miroir. Il céda dans un chuintement et s'ouvrit en roulant sur des gonds bien huilés.

Mélissa pénétra dans une vaste pièce à portiques, juste à temps pour apercevoir une ombre se faufiler sous une galerie surélevée, maintenue par des colonnes en torsades.

— Mathieu?

Quelque part, une porte claqua. La jeune fille s'avança sur un damier de rectangles en marbre rose et noir. Au fond de la salle, sous une coupole dorée, un Bouddha en or massif lui souriait, du haut de son socle. Devant la statue, d'innombrables bougies multicolores et lampes à beurre diffusaient une lumière ambrée. Des bâtonnets d'encens exhalaient un parfum entêtant de violette. Mélissa porta une main à son front. Il était bouillant.

Une voix d'outre-tombe la fit sursauter :

— Assun-da? *Om ni?*

— Non, non, s'entendit-elle répondre, ce n'est pas Assun-da, je vous prie de m'excuser.

En définitive, la voix provenait de la galerie. Elle leva les yeux et aperçut le buste sombre d'un homme appuyé à la balustrade.

— Eh bien, qui êtes-vous? demanda-t-il.

Elle déclina son identité.

— Je suis une invitée de Dalaï-Tambu, poursuivit-elle, je suis désolée, mais je me suis égarée.

Les yeux de l'inconnu brûlaient comme des charbons ardents.

— Ne partez pas, dit-il, je descends.

Elle entendit le martellement de ses pas et il réapparut sous la galerie. L'homme était fort et jeune. Il portait un somptueux *Ko* en lamé or. Il s'approcha de Mélissa en l'examinant avec une curiosité enfantine. Elle put, ainsi, observer à son tour un beau visage pâle, à moitié enfoui sous le crin noir bleuté d'une barbe, dans laquelle luisait la blancheur d'un sourire. Un visage étrange, aux pommettes saillantes, coupé au couteau, éclairé par des yeux en amande couleur de soufre.

— Je ne savais pas que mon frère avait des invités, dit-il dans un anglais impeccable.

Mélissa frissonna malgré elle.

— Vous êtes Zambu?

Un sourire fat illumina le visage du seigneur de Pashemira :

— Moi-même! Cela vous étonne?

— Pas du tout. Je... nous vous croyions absent.

— Et vous aviez raison. Mais je suis revenu à l'improviste, dans la soirée. J'étais parti avec quelques amis chasser le fauve. Je me suis mortellement ennuyé, pour ne rien vous cacher.

Il ne la quittait pas des yeux. Elle décida de battre en retraite.

— Eh bien, sourit-elle, je suis ravie d'avoir fait votre connaissance. A vrai dire, je suis épuisée et n'aspire qu'à un peu de repos. Auriez-vous l'amabilité de m'indiquer la sortie?

Zambu ne répondit pas, feignant de s'abîmer dans la contemplation du Bouddha en or.

— Êtes-vous venue avec David Duncan? demandat-il brusquement, d'un ton râpeux. Nous l'attendions aujourd'hui.

Elle acquiesça, et il poursuivit :

— Êtes-vous sa femme? ou sa fiancée?

Mélissa avala sa salive avec difficulté. Elle aurait aimé répondre par l'affirmative, mais l'air renfrogné de son interlocuteur et la vision du jeune homme enlaçant Assun-da la poussèrent à avouer la vérité.

— Non, je ne suis qu'une amie.

Il eut l'air de se détendre.

— J'aime mieux cela! s'exclama-t-il. Cela m'aurait ennuyé d'avoir à vous enlever à une vieille connaissance comme Duncan.

Mélissa écarquilla les yeux.

— M'enlever?

— Exactement!

Elle ébaucha un mouvement de fuite, mais, rapide comme un rapace sur sa proie, Zambu l'avait déjà rattrapée par le poignet.

— Restez!

Elle essaya en vain de se dégager.

— Non! Lâchez-moi!

— Je dis : Restez! Je déteste les femmes désobéissantes.

Elle poussa un cri de douleur et il lâcha prise aussitôt. La jeune fille frotta son poignet endolori. Profitant de ce moment de répit, elle se mit à réfléchir. « Cet homme est étonnamment fort, il n'est pas question de lui résister physiquement. Gagnons du temps. » Réprimant sa frayeur, elle lui adressa son sourire le plus charmeur.

— Le bâtisseur de la Tanière du Lion se comporterait-il comme un sauvage? Je ne le crois guère. J'ai tellement entendu parler de vous!

Zambu bomba le torse, avec vanité. Quelque chose miroita au milieu de sa poitrine, attirant l'attention de la jeune fille.

— Vraiment? Qui vous a parlé de moi, dites? Duncan? Mon frère?

Elle ne songeait même pas à répondre. Comme hypnotisée, elle saisit à pleines paumes le pendentif qui étincelait au bout de sa chaîne. Zambu s'assombrit.

— Vous le reconnaissez? demanda-t-il, sardonique.

Le sol se dérobait sous les pieds de Mélissa. Interloquée, elle contempla un médaillon ovale finement ourlé, le même qu'elle avait offert à Mathieu cinq ans auparavant pour ses vingt ans. Elle en connaissait parfaitement les dimensions et les contours. Elle savait qu'à l'intérieur, il y avait une photo d'elle-même. Machinalement, elle fit jouer le minuscule mécanisme qui l'ouvrait. Elle ne s'était pas trompée, son portrait y était! Péniblement, elle en détacha son regard et dévisagea la face impénétrable de Zambu.

— Monsieur, s'écria-t-elle d'une voix vibrante, ce bijou appartient à mon frère, Mathieu Dandillot. Comment se fait-il que vous l'ayez en votre possession? Où est Mathieu?

L'ombre d'un sourire effleura les lèvres de Zambu et ses iris couleur de soufre virèrent au topaze.

— Rien ne m'oblige à répondre à vos questions. Je suis chez moi et fais ce qui me plaît.

— Monsieur, soyez humain.

— J'ai acheté cet objet à des forains.

— Je ne vous crois pas!

— A votre aise!

— Je suis venue au Bhoutan pour rechercher mon frère. Le hasard a voulu que je suive M. Duncan jusqu'à la vallée de Pashemira, et que vois-je se balancer autour de votre cou? Ce médaillon dont mon frère ne se séparait jamais et qui enferme ma propre image! Avouez qu'il y a là de quoi conduire n'importe qui à la folie.

D'un geste rapide et sec, le seigneur de Pashemira referma le médaillon.

— Qu'est-ce que la folie? Et où s'arrête la raison? Vous êtes une réelle beauté, ma chère. Souvent j'ai admiré votre portrait en vous appelant de toutes mes forces. Vous avez quitté votre lointain pays en croyant partir à la recherche de Mathieu mais c'est moi que vous veniez rencontrer. Comment osez-vous appeler cela du hasard? C'est de la fatalité!

Sous l'effet d'une sombre excitation, il se mit à trembloter. Ses minces narines palpitaient.

— De la fatalité! répéta-t-il.

— Admettons, murmura Mélissa à bout d'arguments, mais, je vous en supplie, expliquez-moi comment ce bijou est tombé entre vos mains.

— Je vous l'ai déjà dit. Je l'ai acheté à des nomades. Et puis, qu'importe? Vous êtes là et cela me suffit.

— Ne me touchez pas!

L'homme retira sa main surchargée de bagues. Une pâleur cadavérique se déversa sur son visage.

— Vous êtes à moi! hurla-t-il avec une rage subite, vous m'entendez? A moi, à moi seul!

« Doux Jésus, être si près de la vérité et échouer, c'est impossible. »

— Jamais je ne consentirai à vous appartenir, rétorqua-t-elle calmement, à moins...

Elle suspendit sa phrase.

— A moins?

— ... que vous ne répondiez à ma question.

Le sourire de Zambu s'effaça.

— Je ne répondrai à rien du tout! Et vous, vous ferez mieux de vous plier à ma volonté.

— Et si je ne veux pas?

— C'est moi qui commande ici!

Il la saisit brutalement par la taille, plongeant son regard phosphorescent dans le sien. Éblouie, elle ferma les yeux, pénétrée par un étrange sortilège.

— Rien ni personne ne peut vous sauver, murmura-t-il en l'attirant contre lui.

— Si! Moi!

Zambu suspendit son geste; son regard, inquiet et mobile, se reporta en direction de la voix. Sous un des portiques, Dalaï-Tambu le considérait avec sévérité.

— Lâche cette jeune fille! Elle est sous ma protection.

Zambu ricana méchamment.

— Mais je ne veux aucun mal à ma future épouse! Je te la laisse. Tu peux la conduire à sa chambre.

Il relâcha sa proie, tourna brusquement les talons et disparut sous la galerie. Chancelante, le visage défait, Mélissa se dirigea vers son sauveur.

— Mon Dieu! Mon Dieu! gémit-elle.

Dalaï-Tambu lui caressa les cheveux :

— Ne vous effarouchez pas. Mon frère est un original. Il se peut que, d'ici demain, il ait oublié votre entrevue.

— Cela m'étonnerait. Saviez-vous qu'il est en possession d'un pendentif ayant appartenu à mon frère?

— Je l'ignorais! répliqua-t-il après une légère hésitation, mais vous tombez de sommeil. Voulez-vous me suivre?

Rapidement, ils regagnèrent la salle à manger. La plupart des lampes étaient éteintes et des restes de nourriture jonchaient la table. Dans son coin, Yang-Lee ronflait, la tête roulant sur sa poitrine.

— Où est M. Duncan? demanda la jeune fille.

Dalaï-Tambu eut un geste vague.

— Dans sa chambre, j'imagine.

— J'aimerais m'entretenir avec lui.

Il leva les minces traits de ses sourcils :

— A cette heure-ci? Je vous assure, mon enfant, ce n'est pas le moment de le déranger. Laissez-le tranquille et allez dormir. Vous aurez le temps de discuter avec lui demain.

— Mais je...

Mélissa suspendit sa phrase, frappée par l'évidence : « Idiote que je suis! Notre ami doit partager la couche de la belle Assun-da! »

Quelle pensée insurmontable! Une larme perla entre ses cils, brillante comme un diamant, puis ses nerfs lâchèrent et elle s'effondra sur un coussin, secouée de sanglots. Dalaï-Tambu lui tapota gentiment la joue.

— Ne désespérez pas, Mélissa. Tout ira bien.

Elle leva sur lui ses grands yeux mouillés.

— Hélas! je n'ai pas votre optimisme. Tout a mal commencé.

— Cela ne veut rien dire. Souvent le cours des choses est dérangé par un nouvel élément. Calmez-vous.

Elle renifla, toussota, s'éclaircit la voix :

— C'est facile à dire! Je souffre tellement...

— Croyez-vous être la seule à souffrir? Le monde est plein de souffrances. Allez vous coucher et vous verrez que demain votre chagrin se sera estompé.

« Peut-on parler de chagrin d'amour avec un sage? » s'interrogea-t-elle. Elle décida que non, et, le cœur lourd, elle quitta la pièce.

Sa chambre était plongée dans une pénombre mordorée. Allongée à plat dos, nue entre les draps de soie, Mélissa se remémora les événements des derniers jours. Un tourbillon. Des images décousues se déployaient dans son esprit engourdi.

Elle revit le Ramjam de Punakha hochant inlassablement sa petite tête couronnée de la houppette blanche de ses cheveux et affirmant : « Il serait souhaitable que vous repartiez »... L'homme à la robe en peau de yak surgit ensuite, cédant aussitôt la place à Mathieu, ou plutôt à une moitié du visage de Mathieu, perçu par une porte entrouverte, image qui s'évanouit au profit d'un Zambu triomphant, exhibant le médaillon fatal.

Angoissée, Mélissa tourna sur le côté. De toutes ces visions qui hantaient sa nuit, aucune ne lui était plus pénible que celle de David Duncan étreignant Assunda.

7

LES jalousies baissées filtraient une lumière rose de pêche. Mélissa les poussa vers l'extérieur. Accoudée au rebord, elle admira le paysage. Juste en bas de sa fenêtre, un torrent s'écoulait en tourbillonnant. La rive était couverte de mimosas et de lauriers roses. Au-delà s'étendait la vallée de Pashemira. Rhododendrons, jujubiers, palmiers et érables frissonnaient dans l'air pailleté de soleil. Puis, le sol se tordait, se soulevait, pour aboutir, finalement, aux pentes abruptes de l'Himalaya.

Mélissa s'étira, remplit ses poumons d'air pur, revint vers son lit. Pour la première fois depuis son arrivée, elle constata que sa chambre était agréable, meublée avec luxe et simplicité. Il y avait, en face du lit, une coiffeuse en bois clair surchargée de flacons de toutes sortes. Un grand miroir biseauté la surmontait, incliné de façon à agrandir l'espace.

La jeune fille ouvrit son bagage, étalant sur le lit défait sa maigre garde-robe. Quelques pantalons, une seule robe en mousseline, un petit amas de tee-shirts, pulls et chemises. Elle se chaussa de sandales, puis enfila un pantalon serré en toile bleu pastel et une chemise en cotonnade assortie qu'elle noua à la ceinture. Le miroir lui renvoya une image flatteuse. Un corps harmonieux, un visage angélique auréolé, comme par un halo, de la magnifique toison blonde. Elle décida de provoquer une entrevue avec David.

Quelques minutes plus tard, elle entrait en trombe dans la salle à manger. Quelle déception : tout criait l'absence de David. A la seule évocation du jeune homme étendu auprès d'Assun-da roulée dans des draps en soie, le monde s'obscurcit et la jeune fille se laissa tomber sur un des coussins qui faisaient office de chaises. Les lieux lui parurent moins vastes que la veille au soir, à la lumière des lustres à pendeloques. Une brume poussiéreuse ternissait les ciselures et les reliefs polychromés des bahuts et des paravents.

— Mademoiselle Dandillot! Quelle chance pour votre humble serviteur de manger en tête-à-tête avec vous. Oh! Laissez-moi vous admirer : à la clarté du jour, vous êtes encore plus ravissante.

La tirade jaillissait d'un coin de la table où, calé entre deux coussins chatoyants, Yang-Lee s'apprêtait à attaquer un copieux petit déjeuner. Par excès de courtoisie, il essaya de se relever, manquant de renverser son thé au jasmin.

— Je vous en prie, restez à votre place, dit Mélissa en souriant malgré sa peine. Puis, feignant une bonne humeur qu'elle était loin d'éprouver, elle demanda : Où sont les autres?

Le chinois se rassit pesamment.

— Quels autres?

— Assun-da et M. Duncan.

— Ils travaillent.

— Ah oui? A quoi?

— Aucune idée, je ne suis pas dans leurs secrets. Ils se sont enfermés dans la bibliothèque. Il baissa d'une octave : L'Américain, Assun-da et Zambu — au fait, saviez-vous qu'il était rentré?

— Euh... je l'ai aperçu hier, dans la soirée.

Elle se concentra sur la vaisselle en or éparpillée sur la table. C'était un enchantement. Chaque fois que Yang-Lee déplaçait un récipient, il faisait jaillir des gerbes d'étincelles. Mélissa se servit un bol de café noir qu'elle goûta, avec un soupir de satisfaction.

— Où se trouve la bibliothèque? demanda-t-elle en mordant dans un toast.

Son interlocuteur sursauta.

— Pourquoi voulez-vous y aller? Duncan a horreur d'être dérangé. Il pencha le torse par-dessus sa tasse pour ajouter : J'ai vu des serviteurs monter avec des bouteilles d'absinthe. Je présume, donc, que notre ami sera d'humeur égale toute la journée, c'est-à-dire en colère.

La fin de la phrase se termina dans un rire. Ainsi, David s'était remis à boire! Le cœur de Mélissa se serra.

— Comment? fit-elle, feignant une parfaite indifférence, M. Duncan flirte avec l'alcool? Je le croyais tout à fait heureux auprès de la belle Assun-da.

Yang-Lee absorba deux petites goulées de thé.

— Tout à fait heureux, c'est beaucoup dire.

— En tout cas, il a eu l'air heureux de la retrouver.

— Sans doute... sans doute.. dit le Chinois entre deux gorgées, ils ne cachent pas leur amitié, même en présence de Zambu.

— Pourquoi dites-vous cela?

Un sourire machiavélique étira les lèvres nacrées de Yang-Lee :

— Assun-da est la fiancée de Zambu.

— Oh! murmura simplement Mélissa.

L'autre vida sa tasse.

— Cela vous choque? Les Bhoutanais pratiquent le mariage ouvert. Ils ne répugnent pas à partager leur compagne, à condition que les autres en fassent autant. C'est une philosophie qui exclut la jalousie, sentiment vulgaire, bassement égoïste. Qu'en pensez-vous?

Mélissa baissa le nez dans son bol, pour dissimuler à son voisin la rougeur qui lui embrasait les joues.

— Je pense, monsieur Lee, que l'amour est un sentiment terriblement exclusif.

Il acquiesça vivement :

— C'est exactement ce que je pense, ma chère! susurra-t-il d'une voix alanguie.

Sa main griffue se posa sur celle de la jeune fille. Bien que le geste se voulût amical, la moiteur de sa paume frissonnante trahissait son émotion. En douceur, Mélissa retira sa main capturée et se remit debout. Son angoisse lui revenait par vagues. Depuis une demi-heure, se dit-elle, elle était en train de faire salon avec ce poète fantasque, alors que Mathieu avait peut-être besoin d'aide. « Un homme malade », avait dit la fermière... Elle se demanda comment et pourquoi son frère se cachait en ce lieu coupé du reste de l'humanité.

— Vous partez déjà? dit Yang Lee, avec des yeux de chien battu, est-ce moi qui vous fais fuir?

— Pas du tout. Je dois absolument parler à M. Duncan d'une affaire qui le concerne. Nous nous reverrons plus tard, dans l'après-midi ou la soirée.

Elle avait lancé ces phrases sans prendre le temps de respirer. Au dernier mot, elle pivota sur ses talons et quitta la salle à manger en courant. Le Chinois demeura un instant immobile, ses mains de porcelaine reposant à même la table. Rien ne bougea sur son visage grêlé.

— Un sentiment exclusif! marmotta-t-il, cette jolie sotte s'est entichée de l'Américain. Elle va souffrir. Peuh! Les femmes adorent ça.

— Tiens! Une visiteuse!

Assun-da se retourna brusquement et ce geste fit virevolter la corolle de sa jupe sur ses jambes nues. Mélissa entra. Elle aperçut aussitôt le seigneur de Pashemira et David Duncan, penchés sur une vieille carte géographique étalée sur une table. Ils ne bronchèrent pas, aveugles et sourds au monde extérieur. Intimidée, la nouvelle arrivante s'avança dans la bibliothèque, au milieu d'un ahurissant capharnaüm de livres reliés, de brochures et de documents qui débordaient des rayonnages.

— Bonjour! dit-elle à la cantonade, non sans s'être éclairci la voix.

— Bonjour! répondit Zambu en levant le nez de ses paperasses.

Il portait, ce matin, un splendide *Ko* de soie noire rehaussé sur la poitrine d'un dragon lamé rouge. A la vue de Mélissa, ses cils tremblotèrent sur ses iris pâles. Cependant, il n'ajouta pas un mot et se contenta d'un simple signe de tête. Quant à David, il ne daigna même pas la regarder. Indifférent, inaccessible, il continua ses annotations, traçant çà et là des croix au feutre rouge qui glissait sur le parchemin lustré et patiné par les ans. Une fiole de cristal à bouchon d'or, posée sur le coin de la table, contenait un fond d'absinthe.

Un lourd parfum de magnolia stagnait dans la pièce.

— Excusez-moi, reprit Mélissa courageusement, je vous interromps en pleine séance de travail.

Le rire moqueur d'Assun-da s'égrena entre les murs et, comme la jeune fille s'apprêtait à débarrasser ces gens de sa présence, Zambu l'interpella :

— Nous avons presque terminé, très chère. J'étais en train d'indiquer à monsieur Duncan les présumés emplacement d'un trésor lamaïque qui m'intéresse. Mais c'est à lui de le découvrir, n'est-ce pas?

« Un trésor! Nous y voilà! » Il y eut dans le cerveau de Mélissa comme une minuscule déflagration et elle dut faire un effort pour refouler un cri.

Elle répondit calmement :

— Certainement, c'est son métier.

Zambu commença à lui expliquer l'histoire de ce trésor. Mais son bavardage lui parvenait comme assourdi. Ses pensées allaient bon train. « Un trésor! Je m'en doutais ! Mais comment expliquer la présence de Mathieu? L'a-t-il déjà trouvé? Est-ce pour cette raison qu'il se cache? En ce cas, il deviendrait l'ennemi numéro un de ce cher M. Duncan. »

Elle fixa David, non sans une certaine rancœur. Zambu s'était tu et le jeune homme avait relevé la tête et la considérait sombrement, comme s'il la voyait pour la première fois.

— Que voulez-vous, mademoiselle Dandillot? jeta-t-il d'une voix impersonnelle, ne voyez-vous pas que je suis en train de travailler?

Mélissa rassembla son courage :

— Je voudrais vous parler.

— Plus tard.

— C'est important.

Il s'accorda le luxe d'une pause.

— Soit! Qu'avez-vous à me dire?

Elle le dévisagea d'un air exaspéré. Assun-da éclata de rire.

— Monseigneur, roucoula-t-elle à l'adresse de Zambu, il semble que nous soyons de trop, dans cette pièce. Laissons ces enfants à leurs démêlés.

Elle avait appuyé sur le mot *enfants*, avec une condescendance méprisante. Puis, sa bouche écarlate s'étira à nouveau sur ses dents éclatantes.

— Zambu! Venez!

Il y avait, malgré son sourire, quelque chose de cruel et d'absolu dans sa voix, un ton de commandement. Tête basse, sans mot dire, le maître de la Tanière du Lion la suivit docilement. La porte se referma sur eux comme un rideau de théâtre et, pendant un moment, personne ne parla. « Cette femme joue un rôle prépondérant dans la demeure. Le véritable pouvoir serait-il matriarcal? Zambu n'est-il alors qu'un fantoche? Et Dalaï-Tambu? Un simple conseiller? »

Elle porta les mains à ses tempes triturées par une forte migraine. La voix sarcastique de David Duncan la ramena définitivement à la réalité.

— Alors? Qu'aviez-vous à me dire de si important?

Ils se toisèrent comme deux ennemis et, dans l'air vibrant de lumière, elle s'aperçut qu'il était d'une extrême pâleur.

— Je croyais que vous étiez au Bhoutan en votre seule qualité d'écrivain! lança-t-elle à brûle-pourpoint.

Le poing de l'homme s'abattit avec violence au milieu de la table, arrachant un gémissement au bois et faisant tressauter les feutres et la fiole d'absinthe.

— Je n'ai de comptes à rendre à personne, fulmina-t-il, et encore moins à vous.

— Il ne s'agit pas de cela et vous le savez. Mon erreur consiste à vouloir m'expliquer avec un homme ivre.

— *Goddam, my lady!* Ce n'est pas quelques gorgées d'alcool qui vont me perturber la raison. De quoi vous plaignez-vous? Vous avez voulu vous rendre à Pashemira et je vous y ai emmenée. Maintenant, à vous de jouer! Débrouillez-vous.

— David! Pourquoi m'avoir menti?

— Menti? Le grand mot! — Il était devenu blême. — J'en ai assez de vos accusations. De quoi suis-je coupable? D'exercer mon métier ou de vous avoir embrassée dans un moment d'égarement?

« Seigneur, il appelle ça de l'égarement! » Le souvenir de l'exquis baiser qu'ils avaient échangé dans la jungle aviva le désespoir de la jeune fille. Elle fixa son adversaire d'un air désapprobateur.

— N'essayez pas de tergiverser, j'ai tout compris! Zambu vous a engagé pour découvrir un trésor qu'il compte s'approprier, aux dépens de son pays. Bravo! Ce ne sont pas les scrupules qui vous étouffent, monsieur Duncan!

— Pour l'amour du Ciel, taisez-vous.

Elle secoua la cascade blonde de sa chevelure.

— Laissez le Ciel tranquille! Quant à moi, je ne me tairai pas. Quitte à me passer de votre amitié, j'ai l'intention de vous dire jusqu'au bout ce que je pense de vous. A Punakha, vous vous présentiez comme écrivain, de peur que le Ramjam n'apprenne la nature exacte de vos activités. Vous avez accepté de me conduire ici pour ne laisser aucun témoin derrière vous. Est-ce vrai?

Il s'avança vers elle, menaçant, et elle crut qu'il allait la frapper.

— Vous ne me faites pas peur à rouler des épaules! hurla-t-elle, vous n'êtes qu'un aventurier, un voleur de patrimoines.

Elle sentit les doigts de David s'enfoncer cruellement dans la chair de ses bras, broyant le mince tissu de la chemise. Les traits de son visage, que le contre-jour éblouissant rendait flous, s'étaient figés dans une expression de colère.

— Non, vous ne me faites pas peur! répéta-t-elle.

— Allez-vous la fermer, ou faut-il que je vous étrangle?

Elle l'affronta avec aplomb, le menton haut, dans une pose provocante.

— Essayez un peu, pour voir!

Soudain, elle vit son visage près du sien — dangereusement proche — et découvrit les gouffres sombres de ses prunelles.

— N... non, murmura-t-elle, se sachant perdue à l'avance.

L'homme l'attira contre lui et leurs lèvres s'unirent avec avidité. Emerveillée, la jeune fille s'abreuva au feu liquide d'un baiser que, dès lors, elle savait inoubliable. Ensuite, David lui couvrit le visage et le cou de baisers passionnés et elle dut s'arracher à ses caresses au prix d'un effort surhumain. Elle courut à la fenêtre offrir son visage empourpré à la brise printanière. Son cœur battait la chamade, ses sens la torturaient.

— Mélissa, fit l'homme, radouci, je ne suis pas l'ignoble individu que vous croyez.

« Pourquoi ai-je envie de pleurer? » Elle hocha la tête, les yeux rivés au bleu pâle du ciel.

— Votre fameux trésor, murmura-t-elle d'une voix à peine audible, eh bien! Quelqu'un d'autre est sur le point de le découvrir.

Elle l'entendit rire de son habituel rire cynique et poursuivit en ravalant ses larmes :

— J'ai vu cet homme hier soir. Il est ici et il se cache. Mais, comme d'habitude, vous ne me croyez pas.

A pas de loup, David était venu derrière elle et elle sentit à nouveau autour de son corps le piège de ses bras.

— De quel homme parlez-vous? dit-il, le visage enfoui dans les cheveux de Mélissa.

— De Mathieu.

Le piège se défit.

— Qu'est-ce que vous dites? explosa-t-il. Vous avez encore pensé à cette histoire absurde?

— David! Je vous jure que j'ai aperçu mon frère dans ce palais.

Il s'écarta d'elle et lui demanda des précisions, avec ce ton impérieux si blessant; en quelques phrases, elle lui conta son aventure nocturne. Comment en suivant Mathieu elle était tombée sur Zambu.

David l'écoutait, un sourcil levé, les mains tordues en un geste de désarroi. Quand elle eut fini son récit, il se laissa tomber sur une chaise et resta prostré un long moment.

— Mélissa, dit-il enfin, je ne sais quoi vous dire. Je ne croyais pas à l'existence de Mathieu.

— N'avez-vous pas discuté de ce sujet avec le Ramjam?

— Oui, oui, mais j'avais songé que le vieillard était votre complice.

Elle le regarda sans comprendre.

— Mon complice! Que voulez-vous dire?

— Mais enfin! Que font les autorités d'un pays lorsqu'elles soupçonnent un étranger? On lui met une jolie fille entre les bras et...

Devant la tristesse de la jeune fille il s'interrompit, puis reprit en grimaçant un sourire :

— Je vous aurais sorti encore un cliché de mauvais écrivain, mais je vous en fais grâce. Qu'est-ce que vous comptez faire?

— Croyez-vous, maintenant, que Mathieu n'est pas un fantôme?

— Admettons.

— Je voudrais le rencontrer et avoir une explication avec lui.

— Cela n'ira pas sans risques. En avez-vous parlé à quelqu'un?

— A Zambu, à cause du médaillon. Evidemment, je ne lui ai rien dit à propos de la présence de Mathieu au palais.

David se cala au fond de sa chaise et lui fit signe de s'approcher. Elle obéit.

— Ma chérie, je vous en supplie, ne faites pas de bêtises. N'allez pas remuer de fond en comble la Tanière du Lion. Tout ce que vous direz à quiconque sera rapporté à Zambu.

Ce disant, il l'avait enlacée par les hanches, levant sur elle son visage inquiet.

— Pouvez-vous m'aider? questionna-t-elle, tremblante.

— Vous aider à retrouver mon ennemi? Car le nommé Mathieu doit en savoir long sur le trésor. Vous m'en demandez trop, Mélissa.

— Le ferez-vous quand même?

La porte s'ouvrit, interrompant leur dialogue. La tête brune d'Assun-da apparut par l'entrebâillement. Le jeune homme relâcha Mélissa, avec un air d'enfant pris en faute.

— Vous en aviez des choses à vous dire! grinça la

Bhoutanaise, arborant sur ses lèvres peintes un sourire équivoque.

Affolée, Mélissa s'interrogea : la jeune femme n'avait-elle pas surpris une partie de la conversation? Assun-da entra dans la pièce, balançant les hanches et marchant avec l'assurance des gens qui savent qu'ils ont gagné la partie. Ses cheveux flottaient sur ses épaules dénudées et son *Ko* blanc et fluide rehaussait le miel de sa peau. N'y eût-il eu le faisceau de fines rides autour des yeux, on lui eût donné l'âge de David.

Rieuse, légère, elle contourna la table et s'immobilisa derrière le jeune homme assis, un bras sur le dossier de sa chaise, dans l'attitude d'une pose photographique. Elle continuait à sourire, mais ses yeux d'ambre gris avaient pris une expression féline.

— Est-ce trop vous demander, mademoiselle Dandillot, que de me laisser seule avec M. Duncan?

Mélissa remarqua la main possessive d'Assun-da agrippée à l'épaule du jeune homme. Elle bredouilla un vague : « Bien sûr », et s'empressa de quitter la bibliothèque. Le silence de David la poursuivait.

« Voyons, se dit-elle en prenant l'enfilade des pièces, Assun-da parle et Zambu obéit. Assun-da formule un souhait et David ne trouve rien à redire. » Tranchante, la voix de sa rivale éclata dans sa tête : « Est-ce trop vous demander, mademoiselle... » C'était clair! On laissait les *enfants* à leurs démêlés et on revenait récupérer son bien.

D'instinct, dès leur première rencontre, Mélissa avait compris qu'Assun-da ne l'aimait pas. Maintenant, elle était certaine d'une chose : cette femme la détestait. Totalement absorbée dans ses pensées, elle sortit de l'édifice, dépassa la colonnade en lapis-lazuli, descendit les marches, puis traversa le pont qui enjambait le torrent. Ensuite, tournant le dos à la Tanière du Lion, elle se dirigea à vive allure vers les maisonnettes de la vallée. Qu'espérait-elle trouver?

Des nuages gorgés d'eau naviguaient à basse altitude, projetant des ombres mouvantes dans la plaine. La jeune fille descendait vers la cité aux rues superposées, entrelacées, enfouies dans une végétation luxuriante. Des femmes étaient assises au seuil de leur porte, des enfants sautillaient dans les ruelles — dès qu'ils virent l'étrangère, ils s'éparpillèrent en piaillant.

D'un pas assuré, Mélissa se promena dans les rues. En jetant un coup d'œil dans une impasse, elle observa une drôle de maison qui tranchait sur les autres par ses couleurs criardes et les innombrables objets qui se balançaient au bout de cordelettes, devant la porte.

Mélissa poursuivit sa promenade, sans aucune idée précise en tête, sauf celle de se dérider, de superposer de nouvelles images aux anciennes, de se fatiguer afin de ne plus sentir cette douleur qui l'anéantissait chaque fois qu'Assun-da s'approchait de David.

A son passage, les gens de Pashemira s'écartaient. Elle ne le remarqua pas. La jeune fille prit le chemin du retour avec un sentiment d'abattement.

8

« C'EST terminé! pensa Mélissa. Mathieu n'était qu'un rêve éveillé et David une mauvaise rencontre. J'ai perdu, il faut savoir sortir de scène. » Elle sourit amèrement à ses pensées : « Ne pas rater sa sortie... »

Le silence régnait à la Tanière du Lion. Un silence morne peuplé de passions refoulées. Situation insupportable pour quiconque aurait espéré autre chose. Souvent, affalé dans un des salons, remuant inlassablement la petite cuillère en or dans sa tasse de thé, boudiné dans des kimonos de plus en plus extravagants, Yang-Lee, un rien grandiloquent, commentait les événements en poète :

— Nous sommes sur un navire qui voyage sur les eaux translucides du temps. Éternel voyage... Une règle s'est instaurée à bord, hélas, ce n'est pas moi qui mène le jeu.

Ce disant, il fixait Mélissa de ses yeux d'obsidienne, brûlants de concupiscence, et sa main rampait vers le bras de la jeune fille, de biais, comme un crabe. Elle feignait la naïveté, ne voyant rien, répondant à côté.

— J'aurais adoré lire vos écrits, monsieur Lee.

Pris au piège, le Chinois répliquait courtoisement, fournissait des renseignements, énumérait les traductions de ses œuvres en anglais et en français. Ainsi les jours passaient, monotones. La vie s'était organisée autour de dîners lugubres, pendant lesquels le trio Zambu-Assunda-David échangeait des apartés à propos de mystérieux travaux les réunissant dans la bibliothèque dont la porte restait désormais fermée aux intrus. Depuis leur dernière entrevue, David évitait la jeune fille et celle-ci s'enlisait sans réagir dans une nouvelle torpeur. Allongée dans sa chambre, elle regardait, des heures durant, les changements survenus dans le ciel ou, impassible et languide, elle attendait un événement qui ne se produisait pas. Alors, ayant fait le vide dans son esprit, elle arrivait à oublier jusqu'à Mathieu. Seule l'indifférence de David à son égard avivait sa plaie secrète. Pour le reste, elle se considérait comme une simple spectatrice.

Le printemps ne finissait pas de s'étirer. Ce soir-là, un orage éclata, un ouragan de fin du monde. Au dîner, Mélissa se glissa à sa place habituelle, entre Dalaï-Tambu et Lee. Elle était pâle, mais ses yeux bleus avaient un sombre éclat.

— Qu'est-ce qui vous tracasse? demanda Dalaï-Tambu.

Elle baissa ses paupières mauves sur son assiette :

— Je me sens un peu nerveuse à cause de l'orage, sans doute. Mais j'ai décidé...

Elle suspendit sa phrase, car son regard venait de croiser celui, pâle et glacé, de Zambu.

— Est-ce mon frère qui vous tracasse? dit Dalaï-Tambu en baissant la voix, il ne peut vous toucher tant que vous êtes sous ma protection, rassurez-vous.

— Je ne m'inquiète pas.

Mélissa s'efforçait de réprimer le frémissement nerveux de ses mains. Depuis un certain temps, cette division des habitants de la Tanière du Lion en « bons » et « mauvais » commençait à l'agacer.

— Cher Dalaï-Tambu, avez-vous oublié de lire dans mes pensées ce soir? demanda-t-elle.

Le ton était ironique. Une lueur d'étonnement jaillit de la pupille de son hôte.

— Non, répondit-il calmement, c'est pourquoi j'essaie de m'enquérir des raisons de votre départ.

Cette phrase, prononcée pourtant d'une voix neutre, fit un effet de pavé dans la mare. Yang-Lee manqua de s'étrangler avec son potage de tortue. Assun-da cessa son bavardage avec David et tous se retournèrent vers Mélissa, attendant sa réponse. Dehors, le lointain grondement de la foudre roula sur les cimes himalayennes.

La jeune fille inspecta de son regard clair la ronde des convives.

— Oui, rétorqua-t-elle en haussant le ton, je songe sérieusement à quitter Pashemira et, ensuite, le Bhoutan.

Elle capta au passage diverses expressions de surprise : le visage joufflu de Yang-Lee coiffé d'un bonnet jaune citron, l'œil soufré de Zambu, mi-clos, rieur et redoutable, la mine réjouie d'Assun-da et celle, renfrognée, de David. Elle sourit :

— Vous avez tous l'air catastrophé.

— Mélissa en a-t-elle assez du pays du dragon? demanda Lee.

— Le pays du dragon?

— C'est ainsi qu'on appelle le Bhoutan, dit Zambu. Vous ne le saviez pas?

Elle frissonna :

— Quelle en est la raison? Une ancienne légende?

— Nul ne le sait, répondit Zambu, certains auteurs, comme notre ami Duncan, attribuent cette appellation aux violents orages qui secouent en été les hautes vallées, ou même au secousses sismiques qui s'ensuivent.

— L'explication est intéressante. Est-ce pour cela que vous avez fait du dragon votre emblème? demanda la jeune fille en désignant le monstre écarlate qui ornait la poitrine de Zambu.

— C'est *mon* symbole! dit-il en bombant le torse.

— J'ai l'impression que vous essayez de vous approprier tout ce qui appartient à votre pays.

Un roulement fracassant ébranla les lustres et fit vaciller la lumière. Le maître de céans était resté interdit, bouche bée et fourchette en l'air. Il opta pour un de ses rires tonitruants et faux.

— Je m'efforcerai de vous convaincre du contraire.

— Je crains que vous n'ayez pas le temps. Je viens de dire que je voulais partir.

Un éclair laiteux illumina les vitres ruisselantes de pluie. Son brusque éclat rendit la face de Zambu encore plus blafarde. Comme à chaque fois qu'il réfléchissait, il plongea ses doigts dans le crin noir de sa barbe. Les autres avaient cessé de manger. Seule Mélissa découpait courageusement une viande rose et filandreuse au goût douceâtre, que le cuisinier avait baptisée du nom peu ragoûtant de « chameau bouilli aux herbes garni de boulettes de *tsampa* ».

Zambu repoussa brutalement son assiette. Une mare de sauce brune se forma sur la nappe.

— Mademoiselle Dandillot, glapit-il, pour quelle raison allez-vous quitter ma maison?

Sa voix couvrit le fracas de l'orage. Mélissa le regarda tout en mastiquant une boulette.

— Je suis ravie d'avoir passé quelque temps chez vous, mais je dois rentrer dans mon pays. Mon visa expire dans une semaine et je tiens à être en règle.

— Laissez-moi m'en occuper.

— Je vous remercie, mais cela fait un moment que je n'ai pas pu donner de mes nouvelles à ma tante Abigaël. Je crains qu'elle ne soit inquiète à mon sujet.

Zambu rumina quelque chose dans sa barbe, jeta ensuite un regard circulaire, se délectant à l'avance de la sensation qu'il allait produire sur l'assistance, et formula d'une voix presque humaine :

— Avez-vous la mémoire faible au point d'avoir oublié que vous devez devenir ma femme?

Il y eut un brouhaha, puis David Duncan se redressa, les mains crispées sur la table.

— Permettez-moi de me retirer. Nous aurons beaucoup de travail demain.

Son front dégoulinait de sueur; ses yeux voilés, injectés de sang, se fixèrent, interrogatifs, sur le visage serein de Mélissa. Ses narines dédaigneuses palpitaient :

— Félicitations, miss Dandillot! Le seigneur de Pashemira est le meilleur parti du Bhoutan.

Il leva son gobelet rempli de *chang* au-dessus de sa tête en un toast à l'équilibre précaire, puis l'abandonnant, sans même avaler une gorgée, il tourna les talons et sortit d'une démarche titubante mais digne. Mélissa ne put s'empêcher de songer que son unique allié était hors-jeu et qu'elle ne devait plus rien attendre d'un homme comme David Duncan.

Elle fusilla Zambu d'un regard courroucé.

— De quel mariage parlez-vous, monsieur? Dans mon pays, il faut l'accord des deux intéressés et je n'ai pas donné le mien. J'ose espérer que, de votre part, il s'agit d'une plaisanterie, qui n'honore pas l'humour bhoutanais!

Il y eut un silence pendant lequel tout le monde s'attendit à une catastrophe qui ne se produisit pas. Le maître de Pashemira ne broncha pas. Mélissa se leva à son tour, évitant le regard de Yang-Lee figé en une pose d'adoration muette. Elle allait sortir, lorsque la voix de Zambu l'immobilisa :

— On dit que tous les chemins mènent à Rome, mais aucun ne mène à Pashemira. L'Himalaya fait d'elle le *dzong* le plus imprenable. Ne commettez pas la bêtise de la quitter par vos propres moyens, vous iriez, alors, à la rencontre de votre mort.

— Merci! Je le savais! riposta-t-elle.

Elle sortit, le souffle court, sans se retourner.

Minuit moins dix. Dans sa chambre obscure, après avoir bouclé son bagage, Mélissa enfila des vêtements qu'elle avait jugés solides : vieux jeans noirs, pull à grosses mailles, chapeau feutre, blouson de cuir, bottes montantes à l'écuyère. Elle ouvrit la fenêtre. Le grondement de l'ouragan envahit la pièce, faisant tinter les flacons de cristal. Dehors, dans l'obscurité hachurée d'éclairs, elle apercevait, au fond de la vallée, minuscules et vacillantes, les lumières de la cité. D'un geste énergique, elle endossa son sac, ramassa ses cheveux dans son chapeau.

« Maintenant ou jamais! »

Son plan? Le plus simple. Elle comptait se rendre à Pashemira où elle trouverait bien un brave paysan parlant un peu d'anglais, qui accepterait de la conduire au moins jusqu'à Tongsa, moyennant finances. Saisissant un de ses draps en soie, elle se mit à le tortiller comme une corde. Lorsqu'elle eut fini, elle l'attacha solidement à l'écrou de la fenêtre et constata qu'il arrivait à deux mètres du sol.

« Eh oui, ma tante, non seulement je ne vous ramène pas Mathieu, mais j'ai failli y rester moi-même... » La vision d'une Abigaël en colère lui donna un dernier sursaut de courage.

Mélissa enjamba le parapet et, accrochée au drap, plongea dans la nuit noire, comme on se laisse engloutir par un rêve. Ballottée par le vent, assourdie par le rugissement du torrent, elle sauta sur la rive caillouteuse et se coula contre la muraille battue par la pluie. Peu après, fière et reluisante d'eau, elle traversa le pont inondé d'écume. Le vent soufflait par rafales. Des trombes d'eau se déversaient dans la vallée.

Aussitôt sur l'autre rive, la fugitive se mit à courir dans le déluge. Ses bottes s'enfonçaient dans le sol moussu. Des flaques d'eau miroitantes perçaient çà et là le noir absolu des herbages. Et la jeune fille courait, courait, courait, la peur au ventre, au milieu des éléments déchaînés. Ce n'était guère la peur qu'elle avait connue au château

85

de Zambu, celle-là était indicible, raffinée. Désormais, elle éprouvait une autre terreur, celle de l'espèce animale. Et ce fut comme une bête pourchassée qu'elle courut, en une folle cavalcade.

Confusément, elle songeait à ce qu'elle abandonnait à jamais — l'espoir de revoir Mathieu ou la volupté d'un attouchement de David. A son souvenir, son cœur se serra.

— Adieu, cher monsieur Duncan, cria-t-elle dans la tempête. Si je survis à cette aventure, je passerai le restant de ma vie à vous détester, seule dans mon grand appartement, en compagnie de chats siamois à qui je ne parlerai que pour dire du mal de vous...

Elle ravala un sanglot et continua sa course. Les lumières de la cité venaient à sa rencontre et elle se surprit à formuler une prière à son Dieu chrétien : « Faites que je rencontre une âme charitable. » Ses pas résonnèrent sur les pavés glissants de la première ruelle, sinueux serpent au flanc de la montagne, tournant en colimaçon, de sorte que les vents ne pussent s'y engouffrer. Avisant une maisonnette de pierre et de torchis badigeonné de chaux, dont l'unique fenêtre était éclairée, elle décida de tenter sa chance.

S'approchant de la porte — simple battant en bois de *chonta* —,elle y frappa de toute la force de ses poings, à plusieurs reprises. Le front appuyé contre la paroi rugueuse du bois, elle attendit; des bruits confus lui parvenaient de l'intérieur, vague remue-ménage, furtifs déplacements, mules qui traînaient sur le sol et elle crut, pendant un instant, qu'elle avait réveillé toute une famille. Enfin, la porte s'ouvrit.

— *Is mani?*

Un homme apparut sous le chambranle. L'air hagard, il regarda la petite silhouette blême et presque lumineuse devant les ténèbres dégouttantes de pluie.

— *Is mani dan?*

— *Please!* Laissez-moi entrer.

Il opina et recula d'un pas.

— Vous avez un sacré courage! dit-il dans un anglais écorché. Entrez, je vous en prie.

Comme il s'effaçait pour la laisser passer, la lumière du plafonnier lui sculpta le visage. Folle de terreur, Mélissa écarquilla les yeux. Cette face balafrée, ces yeux troubles, cette sinistre vêture en peau de yak noire... Elle eut un mouvement de recul mais, plus rapide qu'un tigre, le Mongol l'attira dans son antre. Elle fut poussée si violemment à l'intérieur qu'elle alla heurter de plein fouet la cloison du fond. Elle ouvrit la bouche pour hurler, mais le lamentable petit cri qu'elle réussit à émettre fut couvert par le tambourinement de la pluie sur le toit.

D'un coup de pied, le Mongol ferma la porte et poussa le loquet. Il se tourna vers sa prisonnière. Pour la première fois, son visage inexpressif semblait éclairé par un sourire de satisfaction.

— A nous deux! dit-il.

Et il s'avança vers Mélissa.

9

— Où est Mélissa?

Assun-da sécha ses larmes en un geste dramatique. Nullement apitoyé, David Duncan lui décocha un regard meurtrier.

— Écoutez-moi une bonne fois pour toutes, hurla-t-il (car, depuis le matin, il ne s'exprimait plus qu'en hurlant), si Mlle Dandillot ne réapparaît pas dans l'heure qui suit, je vous dénoncerai aux autorités de Thimbu, vous et Zambu. Je connais les lois et, après tout, je n'ai que faire de vos trésors lamaïques.

Dans un accès de rage, il envoya à terre la fiole d'absinthe, qui se désintégra dans un bruit cristallin.

— Je vous assure que ni Zambu ni moi-même ne sommes pour quelque chose dans cette disparition.

— Vous mentez!

— N'avez-vous pas vu le drap pendu à sa fenêtre?

— Habile mise en scène!

— N'avez-vous pas constaté, par vous-même, que toutes ses affaires manquaient?

Assun-da s'interrompit. David s'était écroulé sur un siège canné et, accoudé à la table, sur la carte géographique dépliée, il dévisageait la jeune femme d'un regard vitreux.

— Vous ne me croyez pas!

Il explosa :

— Non! Je ne crois ni à vos paroles fielleuses ni à vos larmes de crocodile. Jamais cette jeune fille n'aurait quitté le palais sans m'avertir.

— C'est, pourtant, la stricte vérité : Mlle Dandillot *s'est évadée*.

— Balivernes! Mais je saurai ce qui s'est réellement passé, je vous le jure, et alors...

— Alors?

— Vous serez punis.

Assun-da eut un rictus méprisant.

— Oubliez-vous, mon cher, que le Bhoutan est un pays fermé? Qu'il n'y a pas une seule ambassade à Thimbu, ni à Punakha? Faut-il que je vous cite des passages de vos propres écrits sur les régions interdites de l'Asie?

— Essayez-vous, par hasard, de me faire peur, Assun-da?

Sous le sombre regard vert, elle baissa les paupières.

— Peut-on espérer effrayer un jeune dieu belliqueux?

— Trêve de plaisanteries! coupa-t-il, ignorant l'ironie de son interlocutrice, je n'ai plus rien à vous dire. Où diable est passé Zambu?

— Je suis là! fit une voix glaciale

Un instant après, le seigneur de Pashemira s'avança dans la bibliothèque. Sous la barbe noir corbeau il était blafard et des étincelles jaunes jaillissaient de ses pupilles de chat.

— Assun-da, laissez-nous!

La jeune femme haussa les sourcils.

— Pour quelle raison?

— Vous la connaîtrez plus tard.

— Non! Moi aussi j'ai mon mot à dire. Est-ce vrai, que vous voulez épouser cette traînée?

En un geste inattendu, Zambu lui assena une gifle d'un revers de main, lui écorchant la lèvre avec sa bague en diamant.

— Je t'ai dit de sortir. Ceci est une affaire d'hommes et doit être discutée entre hommes.

Elle lui lança une œillade venimeuse, qui glissa sur lui sans l'atteindre, et essuya le filet de sang sur son menton.

— C'est bon! dit-elle d'une voix veule, je vois clair maintenant. Il a suffi qu'une putain occidentale mette le pied ici pour que vous soyez pris, tous deux, de délire amoureux — sans parler de ce misérable Yang-Lee qui languit pour elle.

— Assez! éructa Zambu, va t'enfermer dans ta chambre à double tour et n'en sors que lorsque je t'y aurai autorisée.

Assun-da amorça un départ sans entrain. A mi-chemin, elle se retourna.

— Votre volonté sera faite, Zambu, comme d'habitude, grinça-t-elle, vous êtes le monarque absolu de Pashemira. Mais laissez-moi vous dire : vous avez éliminé le frère afin de pouvoir abuser de la sœur. Moi, je vous avais déjà condamné dans mon cœur.

Furieux, Zambu leva une main menaçante :

— Plus un mot, Assun-da.

— Holà! cria David.

Mais la Bhoutanaise était déjà sortie, emportant son secret. Quand la porte d'ébène fut refermée, les deux hommes se toisèrent longuement. Un silence à couper au couteau s'abattit sur eux, brisé par le chuintement d'une bruine tenace sur les vitres. Ce fut l'Américain qui parla le premier :

— Zambu, expliquez-vous. Que signifient les paroles d'Assun-da?

L'autre secoua la tête.

— Duncan! Doutez-vous de moi, maintenant? N'êtes-vous pas mon ami?

— Je l'étais jusqu'à hier. Aujourd'hui, vous me devez une explication. Connaissez-vous Mathieu Dandillot?

L'autre empoigna le médaillon qui brillait sur sa poitrine.

— Non, je ne le connais pas.

— Alors, pourquoi Assun-da l'a-t-elle nommé?

— Ne vous mêlez pas de ça.

— Zambu, répondez-moi!

— Vous venez d'assister à une simple scène de ménage. Assun-da est coléreuse, sotte, jalouse comme toutes les femmes amoureuses. Retournez à votre travail. Je vous ai engagé pour découvrir un trésor, pas pour jouer aux vengeurs de jeunes âmes égarées.

— Une scène de ménage? Est-ce une nouvelle plaisanterie? Contre qui se dirigeait-elle? Nous avons tous deux partagé ses faveurs, sans que personne s'en offusque.

— Vous devenez fleur bleue, Duncan. Ignorez-vous qu'une femme peut jalouser, suspecter, persécuter ses deux amants à la fois?

— Soit! Mais, pour l'amour du ciel, qu'a-t-elle voulu insinuer en disant que vous avez éliminé le frère?

Les yeux soufrés de Zambu se fixèrent sur son interlocuteur, puis leur éclat malveillant, phosphorique, fut masqué par un hypocrite battement de paupières.

— Comment voulez-vous que je le sache? Elle a débité ce qui lui passait par la tête. Ma parole ne vous suffit pas?

David se tut, assombri. Zambu le considéra, la tête penchée sur le côté, à la manière des oiseaux.

— Etes-vous amoureux de Mélissa? questionna-t-il.

Sa douceur était feinte. Le jeune homme eut un geste de défense.

— Je me sens un peu responsable pour elle. C'est moi qui l'ai amenée ici.

— C'est tout?

— Oui.

Il y eut un nouveau silence, plus long que le précédent, où chacun jaugea l'autre. Personne n'était dupe : entre les mots prononcés et les non-dits, il y avait un abîme. Sans comprendre, David vit Zambu fouiller dans la poche de son *Ko*, en extirper un papyrus effiloché par le temps.

Il le saisit machinalement.

— Qu'est-ce?

Zambu vint vers lui.

— Un psaume que l'on chantait au douzième siècle. Ce document date, à mon avis, de l'époque où le trésor fut enfoui par des moines tantriques, c'est-à-dire au moins deux siècles plus tard.

David leva sur le seigneur de Pashemira un regard interrogatif. «Où veut-il en venir? Pense-t-il me distraire de ma principale préoccupation en m'apportant de nouveaux éléments sur ce trésor qui ne m'intéresse plus»?

— Zambu, pourquoi me donner ça *maintenant*?

L'autre eut un sourire en coin.

— Vous lisez le dzongka? Non? Alors en voici la traduction.

De plus en plus déconcerté, l'Américain vit Zambu entrer dans une concentration d'où rien ne pouvait le tirer. Il écarta les bras, tel un orateur de l'antiquité, et la voix qui fusa de sa bouche n'avait rien à envier à celle d'un baryton de la Scala.

— *Au sommet de la Montagne Noire, Amithaba, le dieu de l'amour,*
te montre le chemin. Mais c'est seulement à la tombée du jour
que l'ombre de son doigt
indique la bonne direction. Si ton orgueil ou ton impatience
te détournent du droit chemin,
à jamais tu erreras à travers le pays de Drukyul, le dragon.
Si ta cupidité t'égare, tu te noieras
dans les eaux glacées de ton âme.

Si ton amour te conduit,
tu gagneras le fabuleux trésor! »

Zambu baissa les bras, fort satisfait de son interpréta-
tion. Il avait récité le texte à la façon des acteurs
expressionnistes, grimaçant et roulant des yeux. Abandonnant sa pose théâtrale, il s'appprocha du jeune homme et
lui remit le papyrus.

— Je pense que ceci avancera considérablement vos
travaux, conclut-il tranquillement, alors que la blancheur
de son sourire éclatait dans sa barbe.

— Oui, certainement... murmura le jeune homme.   Il
était devenu livide.

En quittant la bibliothèque, David Duncan avait l'impression d'avoir commis un crime. Assailli de remords, il
s'appuya sur le mur lisse et froid. Ainsi, la jeune fille avait
dit la vérité, dès le début. Il n'avait pas voulu l'écouter, lui
prêtant Dieu sait quel noir dessein. Elle avait placé en lui sa
confiance et il l'avait trahie. « Bon sang! murmura-t-il, je
l'ai traitée comme une fille légère, une menteuse, je l'ai
accablée, froissée et elle était innocente! »

Les paroles du chant dzongka lui revinrent en mémoire,
farandole fantasque et obsédante. Pourquoi ce renard de
Zambu les lui avait-il traduites? Dans quel but? Et,
d'abord, la déraison avait-elle un but? N'avait-il pas
remarqué, à maintes reprises, que le maître de la Tanière
du Lion abandonnait un sujet pour passer sans transition à
un autre?

David appuya son front fiévreux sur la paroi laquée. En
un éclair, il avait réalisé qu'il avait livré Mélissa au
dragon.

— Il faut que je la retrouve! Il le faut!

Subitement, il se raidit. Des ombres avaient surgi dans le
couloir. Un groupe d'hommes armés de fusils mitrailleurs
le dépassa. Leurs *Ko* étaient retenus à la taille par des
chapelets de balles. Celui qui semblait les diriger, énorme

masse de viande poilue, cracha quelques phrases en dzongka, parmi lesquelles le jeune homme crut déceler l'ordre de retrouver la « fille blanche aux cheveux d'or ».

Alors qu'ils s'éloignaient, traînant leurs pieds chaussés de bottes et plaisantant, l'Américain eut le sentiment d'une immense comédie qu'on jouait à ses dépens. Les dernières vapeurs d'absinthe se diluaient dans son cerveau, les choses reprenaient leurs justes dimensions.

David Duncan s'avança vers la sortie du château, sans hâte. Une fois sur le palier de l'escalier en pierres de taille, il aspira à pleins poumons l'air matinal. Il fixa le sommet de l'Himalaya nimbé d'un brouillard lumineux, diapré par le soleil naissant.

— Où que vous soyez, je vous retrouverai, mon amour! murmura-t-il.

10

LE Mongol n'était plus qu'à un mètre de Mélissa. Affolée, celle-ci s'aplatit contre la cloison. Des jours percés dans le torchis filtraient quelques rayons, qui jetaient sur son corps et son visage des reflets mobiles. Sans comprendre, elle regarda alentour, avec cette expression vague et brumeuse des gens qui reviennent à eux-mêmes après un long passage dans le néant.

— Au secours! hurla-t-elle.

L'homme arrêta sa progression et mit un doigt sur la cicatrice qui lui sillonnait la joue.

— Est-ce cela qui vous fait peur? demanda-t-il humblement.

— Que me voulez-vous? Éloignez-vous de moi!

Il s'exécuta de bonne grâce et alla s'asseoir sur l'unique chaise bancale et éventrée du taudis. Son air de chien fidèle acheva d'exaspérer la jeune fille.

— Mais qui êtes-vous? questionna-t-elle d'une voix fêlée. Pourquoi me gardez-vous enfermée?

— Enfermée? Vous êtes venue frapper à ma porte, en pleine tempête. J'ai ouvert. Vous vous êtes évanouie. Je vous ai simplement allongée sur cette natte où vous avez dormi.

Mélissa avala sa salive. Elle avait, donc, passé la nuit en compagnie de ce monstre! Cependant, l'attitude réservée du Mongol lui donna du courage.

— Très bien, soupira-t-elle, mais n'est-ce pas vous qui me suivez depuis Punakha?

Il opina :

— Oui! J'ai reçu des ordres. Mais vous m'avez sans cesse évité, sans doute à cause de mon physique... et à nouveau il posa son doigt sur sa joue lacérée.

Un mélange de culpabilité et de commisération envahit la jeune fille. Elle s'en défendit mollement :

— Mettez-vous à ma place! Vous m'étiez totalement inconnu. Pourquoi avez-vous jeté votre couteau dans ma chambre?

Il passa ses mains sur son crâne rasé.

— Je voulais, par ce geste, attirer votre attention. Maintenant, il faut se dépêcher. Il y aurait eu de mystérieux événements là-haut, à la Tanière du Lion. Zambu envoie un détachement vous chercher dans Pashemira.

Elle bondit, angoissée :

— Mon Dieu! Pour rien au monde je ne veux retourner au château. Aidez-moi à m'enfuir.

Il eut un geste apaisant.

— La cité est un labyrinthe de ruelles et d'impasses. Personne ne vous trahira, car les gens de Pashemira n'aiment pas beaucoup leur seigneur. Et puis, je suis là! Comme je vous l'ai déjà dit, j'ai l'ordre de veiller sur vous et de vous protéger.

Mélissa commençait à se détendre.

— Vous êtes un... je veux dire : vous êtes de la police?

— Je suis un mercenaire.

— Qui vous a engagé?

— Votre frère.

— Mathieu?

Il y eut une pause, pendant laquelle Mélissa crut que la terre s'était bloquée sur son axe et que le soleil allait sombrer. Interloquée, elle ouvrit la bouche mais fut incapable de prononcer le moindre mot. Le Mongol se redressa :

— Mettez-vous à l'aise, miss Dandillot. Je vais vous préparer du thé et vous apporterai des vêtements de vieille femme. Ainsi, vous passerez inaperçue.

— Quand verrai-je mon frère?

— Chaque chose en son temps.

Mélissa comprit que, pour le moment, elle devrait se contenter de cette promesse imprécise. Elle s'effondra sur la natte et sentit à travers elle l'humidité du sol. Les gestes de son garde du corps captèrent son attention. Elle le regarda, un rien amusée, s'affairer autour d'un réchaud antédiluvien sur lequel il posa une marmite d'eau. Il attendit l'ébullition, puis, en silence, y ajouta les feuilles de thé. Dix minutes plus tard, il versa le contenu fumant dans un gros bambou creux, servant de baratte, y ajouta avec des gestes de prestidigitateur du beurre, du sel et de la soude. Enfin, au bout d'un moment, il posa devant la jeune fille, avec la dignité d'un Britannique, un bol en terre cuite, rempli d'un liquide couleur de rose fanée.

— C'est l'inégalable thé du Bhoutan, annonça-t-il, non sans fierté.

Sans se méfier, Mélissa en avala une gorgée qui la fit tousser.

— Il a un goût rance! protesta-t-elle.

Il sourit, dévoilant ses dents noires :

— C'est normal. Nous conservons le beurre dans une peau de mouton pendant toute l'année. C'est ce qui donne du goût au breuvage.

Elle lui jeta un regard de sympathie.

— Sinon, c'est délicieux, mentit-elle.

En son for intérieur, elle regrettait les tasses parfumées au jasmin, à l'orange ou à la menthe que Yang-Lee confectionnait pour elle. Le Mongol enfila un débardeur de buffle par-dessus son *Ko*.

— Restez ici, ordonna-t-il, je vais chercher vos vêtements.

Ce disant, il quitta la cabane. Seule, la jeune fille se demanda une fois de plus si elle n'était pas en train de rêver et si son cauchemar ne touchait pas à sa fin. Plusieurs questions — des questions essentielles — restaient sans réponse : pourquoi Mathieu avait-il engagé ce Quasimodo des hautes terres pour la protéger? Pourquoi se cachait-il? Pourquoi avait-il donné son médaillon à Zambu?

Elle soupira et trempa ses lèvres dans son breuvage. Cette fois-ci, le goût ne la surprit plus. « Finalement, j'ai une seule réponse à cette énigme, mais elle est fondamentale : Mathieu est vivant et, probablement, en bonne santé. »

L'image de son frère s'estompa au profit d'une autre aussi nette qu'une photographie aux blancs aveuglants. C'était le beau visage viril de David Duncan, le nez droit, la fossette au menton, la courbe sensuelle de la bouche et, surtout, l'étonnant éclat des yeux. A ce souvenir la jeune fille sentit des larmes couler le long de ses joues. Gouttelettes amères et salées, elles dégoulinèrent jusqu'au menton et tombèrent dans le thé rose. « Oh! David! vous ne méritez pas mon amour et, pourtant, il vous est acquis. »

Des pas résonnèrent dans la ruelle, la tirant de ses suppositions. Elle entendit un remue-ménage, des voix enfantines, des portes s'ouvrir et se refermer. Une discussion se déroula en langue dzongka et elle comprit, au ton des interrogations et des réponses, que les hommes de Zambu interrogeaient les voisins. Aux questions des soldats, ceux-ci opposaient énergiquement un seul mot, court et tranchant : *né!*

Enfin, les soldats repartirent. Leur pas cadencé décrut. La jeune fille se redressa, tremblante. On la cherchait. « Et David? se demanda-t-elle, amère, est-il avec eux? Mène-t-il les opérations? Ou bien a-t-il préféré rester au château, dans les bras d'Assun-da? Pourquoi se dérangerait-il pour moi? Ne m'a-t-il pas pratiquement abandonnée aux mains de Zambu? »

Le temps passait, inexorable. Maintenant, des trous lumineux constellaient les murs et la terre battue du sol était émaillée de flaques de lumière. Mélissa se cala sur la natte. Une vague langueur la tenaillait; ses membres devenaient de plus en plus lourds. Vaincue par la fatigue, elle s'allongea sur le flanc et ferma les paupières.

— Mélissa, ma chérie, dépêchez-vous! dit la voix de sa tante Abigaël, tous vos amis s'impatientent.

La jeune fille s'avança vers le salon Louis XV, brillamment éclairé par le gigantesque lustre en pâte de verre de Venise, véritable chef-d'œuvre de l'art italien. La pièce était noire de monde. Tous les meubles étaient décorés de gerbes de lys et de roses blanches.

— Oh! ma tante, murmura-t-elle, je suis désolée.

Elle faisait allusion à son pauvre jean déchiré et à son corsage souillé. Au même moment, elle s'aperçut qu'elle portait une robe en tulle blanc brodée de minuscules diamants et que ses cheveux étaient voilés par une étoffe en gaze. Splendide dans son boa, braquant sur les invités son éternel face-à-main, tante Abigaël l'aida à se frayer un passage entre deux haies de visages souriants. Tous étaient élégamment vêtus et brandissaient des coupes de champagne rose.

Toutes les puissantes relations d'Abigaël Dandillot étaient présentes : les Duvivier, Villermont, le vieux Costal, plus ronchonneux et misogyne que jamais... Soudain, le regard de la jeune fille se fixa sur un homme grand et brun en smoking bleu nuit, qui l'attendait au bout de la salle, près de la cheminée.

— David! murmura-t-elle, éblouie.

— Quel beau couple! s'exclamaient les invités.

Soudain, le rêve tourna au cauchemar. Tante Abigaël disparut, remplacée aussitôt par un homoncule qui s'agrippa au bras de Mélissa.

— Mademoiselle Dandillot! s'écria-t-il d'une voix de

crécelle, vous n'allez pas épouser cet homme! C'est un criminel. Écoutez-moi tous! Je m'oppose formellement à ce mariage.

Comme une bande de corbeaux, les invités s'écartèrent en criant. Avec une horreur grandissante, Mélissa reconnut, pendu à son bras, le petit historien de Nanterre, celui-là même qui avait attaqué David lors de cette fameuse émission télévisée. Elle tira rageusement sur son bras en lui criant de la lâcher.

— Je n'en ferai rien, glapit-il, les compagnons de ce monsieur sont morts aux Galapagos, dans des circonstances...

David avait disparu.

— David! David! hurla-t-elle.

Le petit historien se mit à la secouer brutalement...

A force d'être secouée, Mélissa finit par ouvrir un œil. Elle aperçut, penché sur elle, le Mongol.

— Vous dormiez, dit-il avec respect, mais je suis forcé de vous réveiller. Nous devons partir d'ici sur-le-champ, car les soldats de Zambu vont revenir.

— J'imagine.

— Tenez, mettez ça.

Par pudeur, l'homme se détourna après avoir jeté sur la natte un *Ko* long et ample, couleur de cendre, et un long fichu assorti. Quand Mélissa fut déguisée, il lui serra le fichu sous le menton et fit disparaître sous la triste étoffe une dernière bouclette dorée.

— Gardez le dos voûté et ne montrez ni vos mains ni votre visage. La blancheur de votre peau vous trahirait.

Ce disant, il ouvrit la porte et lui fit signe d'approcher. Sur le seuil, il indiqua le chemin à prendre.

— Prenez cette rue, puis celle qui se présentera à votre gauche, et ainsi de suite pendant quatre fois. Puis allez tout droit. Une maison décorée d'amulettes se trouve au bout d'une impasse.

— Je l'ai déjà vue.

100

— C'est la maison de la vieille Leh. Elle parle anglais et vous renseignera.

— Mais... vous ne m'accompagnez pas?

Il lui tapota l'épaule.

— Non. On doit se séparer ici.

— Et mon frère? Quand pourrai-je...

— Leh vous le dira, coupa-t-il.

— Une dernière question, pourquoi n'avez-vous pas demandé à me voir à la *Maison de Chenrezig*?

Il soupira :

— D'après les ordres que j'avais reçus, le Ramjam devait continuer à ignorer notre rencontre et le séjour de monsieur Mathieu au Bhoutan.

— Est-il arrivé clandestinement?

— Pas vraiment. Zambu l'avait invité. Mais les autorités n'étaient pas au courant.

— Je vois...

— Dépêchez-vous, miss Dandillot, allez chez la vieille Leh. Moi je vous dis adieu et bonne chance.

Il entra dans la cabane et ferma la porte. Mélissa se mit en marche, l'esprit vide.

La maison de Leh était reconnaissable de loin : c'était bien celle qu'elle avait remarquée lors de son précédent passage dans la cité, la dernière de l'impasse. Elle présentait au regard une façade trapue blanchie au lait de chaux, coiffée d'un toit vermillon en pagode. Ainsi que le Mongol l'avait précisé, toutes sortes d'amulettes en cire, en bois, en argent même, se balançaient au bout de cordelettes multicolores, devant la porte d'entrée. Une douzaine d'enfants pieds nus jouaient dans la ruelle; leurs voix claires fendaient l'air limpide. Mélissa avançait au ras des murs, voûtée comme une vieille femme. A sa grande satisfaction, aucun des enfants ne se retourna sur son passage. Elle monta les trois marches en bois polychrome, puis, écartant les amulettes, frappa trois coups sur le battant de bois peint. Il s'ouvrit aussitôt sur une étrange créature, si vieille et si blanche qu'elle se découpait à travers la pénombre de l'intérieur comme un négatif de photographie.

— C'est vous, Leh?

— Oui, entrez.

Mélissa se trouva dans l'ombre bleue de la maison. La pièce avait un plafond bas; son mobilier était réduit à un sofa confortable garni de coussins en lamé et un bahut laqué comme un miroir. Leh s'assit sur le sofa. Il était inutile d'essayer de fixer ses traits, les années les avaient effacés. Du *Ko* flottant émergeait un cou de tortue et une tête dégarnie sillonnée de rides. Il ne lui restait plus que deux petites lueurs au niveau des yeux et un peu de voix.

— Asseyez-vous et enlevez votre foulard, je veux voir votre visage.

Malgré son impatience, la jeune fille lui obéit et ôta le foulard tout en s'installant au bord du sofa. Durant son séjour au Bhoutan, elle avait appris que dans ce pays le temps avait une autre valeur qu'en Occident et qu'il fallait se comporter comme si on avait l'éternité devant soi. Ainsi, elle attendit sagement que la marchande d'amulettes mastiquât sa ration de bétel, avant de se décider, enfin, à parler :

— C'est donc toi, la sœur de Mr. Dandillot. Tu lui ressembles. Mêmes cheveux jaunes, mêmes yeux couleur de ciel.

Un cri de joie échappa à la jeune fille. Elle s'abattit sur les genoux.

— Ainsi, vous l'avez connu! Dieu soit loué!

Sa réaction fit grimacer la centenaire. Cela faisait si longtemps que personne n'avait élevé le ton dans sa maison.

— Oui, je l'ai connu, râla-t-elle, je l'ai soigné de la fièvre jaune, il y a quatre lunaisons. Il est encore ici.

Mélissa s'empara vivement des poignets de Leh, au risque de les briser :

— Vous êtes la première personne qui me parle de lui, comme d'un être en chair et en os. Je ne rêve pas. Tous mes efforts n'auront pas été inutiles.

Affalée au fond de ses coussins, la vieille émit un son étouffé et Mélissa relâcha les petits poignets osseux et fragiles.

— Où est-il? Quand le verrai-je?

Un atroce sifflement, venant du tréfonds de ses poumons, empêchait la vieille de parler. Après un effort surhumain, elle réussit à articuler quelques phrases hachées de hoquets et de toussotements.

— Ma maison est à l'extrémité du village. Par la porte de derrière, un chemin te mènera sur les hauts plateaux. Ton frère est parti là-haut pour chercher un trésor.

— Comment? L'a-t-il découvert?

— Maudite jeunesse! maugréa Leh, s'étranglant à moitié, je n'en sais rien. Il est parti d'un point précis, que la statue d'Amithaba, sculptée à même le roc par les anciens lamas, montre du doigt.

— Est-ce là-haut que je dois le rencontrer?

Une affreuse quinte de toux faillit emporter le peu de souffle qui animait encore la centenaire. Les minuscules flammes de ses prunelles se voilèrent et un horrible rictus lui fit découvrir ses gencives édentées. Elle se rejeta en arrière, sur le monticule de ses coussins, secouée des pieds à la tête par une toux sèche et convulsive. Puis, lorsque ce fut terminé, elle demeura apathique, les yeux fixes et vitreux. Seul l'imperceptible frémissement de ses mains indiquait qu'elle était encore en vie.

— Madame, chuchota Mélissa, où dois-je rencontrer Mathieu?

Un frisson mortel parcourut la marchande d'amulettes. Enfin, un râle d'outre-tombe fusa de sa bouche :

— Sur les hauts plateaux, Amithaba te montrera le

chemin. A la tombée du jour, suis l'ombre de son doigt. Au point où elle s'arrête, Mathieu t'attendra.

Elle se tut, anéantie par l'effort. Émue jusqu'aux larmes, la jeune fille pressa doucement, avec une infinie précaution, la minuscule main ridée et froide. Un vague sourire éclaira le visage fuyant de la centenaire. Elle indiqua de sa main libre une amulette qui ornait son cou.

— Prends ça, ma fille. Ce sont des poissons d'or, signe de la vie éternelle. Moi, je n'en ai plus besoin.

Mélissa s'exécuta avec des gestes délicats. Leh se redressa sur les coudes. Un reste de vie faisait encore briller ses prunelles fiévreuses.

— Remets ton foulard de vieille femme, cache bien ta beauté. Les hommes du tyran te cherchaient ce matin.

— Mais ils ne m'ont pas trouvée, répliqua-t-elle désinvolte, ce pauvre fou ne me fait pas peur.

L'ombre d'un sourire effleura les lèvres de la vieille.

— On raconte qu'au palais tous les hommes sont amoureux de toi.

— Non, pas tous.

Leh l'observa un moment.

— Je comprends : tous sauf un.

Et comme Mélissa acquiesçait, elle ajouta dans un souffle d'asthmatique :

— Ainsi va le monde : on court toujours après l'amour impossible! Bonne chance, ma fille, tu mérites le bonheur.

— Au revoir, Leh.

Mélissa se glissa hors de la maison des amulettes, par une porte dérobée, avec la conviction que son aventure touchait à sa fin. Immobile, elle considéra le sentier bordé de pâles ciguës, qui allait se perdre sur le revers d'une colline bossue. Les contours de la montagne se dessinaient en sombre sur la bande claire du ciel. Ainsi, après tant de vicissitudes, Mathieu l'attendait au bout du chemin.

— Dieu soit loué! répéta-t-elle, sa présence de plus en plus proche me réchauffe le cœur.

Mathieu devenait palpable, Mélissa était pleine d'espérance. Cependant, un long soupir enfla sa poitrine sous l'étoffe rêche de son déguisement. Maintenant que tout allait se terminer, une autre absence se faisait sentir, pire que la précédente.

Elle se souvint de son rêve matinal et se rendit compte, subitement, qu'elle ne supporterait pas de quitter le Bhoutan sans avoir revu David Duncan.

11

PAS un souffle de vent n'agitait les feuillages. Sur les hautes terres himalayennes tout restait immobile, comme pétrifié. Mélissa arrêta sa course. Elle était arrivée sur un plateau creusé dans le flanc de la montagne, immense étendue nacrée et verdoyante où paissait indolemment un troupeau de yaks. A son approche, les animaux continuèrent à ruminer, leurs longs poils scintillant au soleil.

Mélissa laissa son regard se promener sur l'enchevêtrement des basaltes. Plusieurs séismes avaient transformé au fur et à mesure le paysage. Ecorchée, anarchique, la rocaille surgissait parmi les séneçons et les fougères. Ailleurs, des crevasses zébraient le sol.

Eblouie par le jeu de la lumière sur les parois irisées des pierres, elle mit sa main droite en visière : c'est alors qu'elle vit la statue.

— Amithaba! murmura-t-elle.

Malgré elle, une sorte de peur sacrée l'avait saisie. Taillé dans un bloc de marcassite, le dieu de l'amour présentait l'aspect d'un adolescent à la nudité délicate. Ses jambes adhérant aux méandres de la roche, il se dressait vers un ciel rose strié d'or liquide. Les traits de son visage étaient empreints d'une douceur céleste et un sourire ambigu flottait sur ses lèvres. Ses yeux en amande semblaient fixer l'éternité. Le bras gauche tendu, il montrait du doigt une mystérieuse direction.

Rompue d'émotion et de fatigue, Mélissa se laissa choir dans les herbages feuillus et attendit.

Un soleil pourpre, gigantesque, voguait vers l'occident. Quand enfin, dépourvu de ses rais, il se mit à décliner vers les versants, la jeune fille se redressa. Les yeux rivés sur la statue, elle vit les minuscules diaprures du marcassite virer du rose au rouge, puis au grenat. Au moment précis où le soleil plongea derrière la montagne, incendiant les nuages, l'ombre d'Amithaba se dessina clairement sur le vert laiteux de la végétation.

Les mains crispées sur sa poitrine, s'efforçant de réprimer les battements de son cœur, Mélissa s'élança en avant, comme une folle. Il lui fallait suivre l'ombre du doigt tendu, qui s'étirait à perte de vue, avant que les derniers feux du soleil ne s'éteignent, plongeant les hautes terres dans le clair-obscur du soir.

Courir, courir, enjamber les buissons... sauter par-dessus des massifs d'aubépines... Mélissa avait les pieds en sang. Dans sa folle cavalcade elle perdit son foulard et sa blonde crinière rougie par le couchant se déversa dans son dos.

Soudain, au milieu de ce sentier fictif, imaginaire, un homme apparut, les bras ouverts. Elle s'élança à sa rencontre.

— Mathieu! Mathieu!

Le soleil disparut à ce moment-là et la nature s'obscurcit. Dans l'incertaine lumière du soir, elle vit venir vers elle l'homme qu'elle avait pris pour Mathieu. Elle se figea, les jambes flageolantes, n'ayant plus le courage ni d'avancer ni de fuir. Arrivé près d'elle, l'homme la saisit dans ses bras, juste comme elle s'affaissait à ses pieds. Sa dernière vision fut celle d'un visage au teint fiévreux, aux yeux jaunes, qui la considérait avec un sourire satanique dont la blancheur semblait d'autant plus éclatante que la barbe qui l'entourait était noire.

Zambu souleva la jeune fille. Des silhouettes surgissaient de toutes parts, des herbages et des bosquets. Des lampes torches s'allumèrent, fouillant la nuit de leur clarté orange.

— Je l'ai trouvée! annonça le maître de Pashemira à ses hommes.

Il avait le sourire heureux d'un enfant serrant sur sa poitrine le dernier cadeau offert par ses parents.

— Mélissa, réveillez-vous!

Les paupières de la jeune fille frémirent, comme des ailes de papillon, puis s'ouvrirent lentement. D'un air égaré, elle considéra le plafond, les jalousies fermées, et la coiffeuse surmontée du miroir biseauté. Un gémisssement lui échappa quand elle reconnut sa chambre à la Tanière du Lion. Sous son corps rompu de fatigue, elle sentit la douceur des draps de soie. A son chevet, une lampe en opaline diffusait une lumière orangée.

— Mélissa! M'entendez-vous?

Se calant sur les coudes, elle vit au pied de son lit Assun-da. La Bhoutanaise la regardait avec un air grave.

— Que me voulez-vous?

— Rien, calmez-vous, répondit l'autre d'un ton froid, et sachez qu'on ne quitte pas la Tanière du Lion sans l'autorisation de son maître.

— Comment? Suis-je donc prisonnière?

Assun-da s'assit au bord du lit. Elle ne parvenait pas à dissimuler sa haine.

— Le grand mot! siffla-t-elle, croyez-vous que je me gênerais pour vous répondre par l'affirmative?

— Très bien, murmura Mélissa, refoulant une furieuse envie de fondre en larmes, très bien! Puisqu'il en est ainsi, soyez gentille de m'énumérer mes droits.

Les yeux de la Bhoutanaise s'allumèrent.

— Zéro droit! railla-t-elle.

« Surtout, ne pas montrer que j'ai peur! Surtout ne pas pleurer », se disait Mélissa. Elle se releva et mit un pied sur le sol en grimaçant de douleur. Une de ses chevilles lui faisait horriblement mal. Elle remarqua qu'elle avait encore son *Ko*, mais qu'on l'avait débarrassée de ses chaussures et de l'amulette que la vieille Leh lui avait donnée. D'un pas qu'elle s'efforça de rendre égal, elle se dirigea vers la porte et fit pivoter le vantail mobile.

— Où allez-vous?

— Je ne peux même pas circuler à l'intérieur du palais?

— Non! Revenez à votre place.

Elle jeta un coup d'œil rapide dans le couloir et vit le long des murs, sous les motifs décoratifs, deux rangées d'hommes armés, au faciès impassible. La jeune fille rebroussa chemin.

— Est-ce pour moi que tous ces soldats sont là?

— Vous vous donnez beaucoup trop d'importance.

— Je voudrais parler à M. Duncan.

La bouche écarlate de la geôlière se fendit en un sourire sardonique :

— Désolée. M. Duncan a quitté le palais.

« Sans moi! Faut-il qu'il ne m'aime guère! » Déconcertée, Mélissa se jeta en travers du lit.

— Quand est-il parti? demanda-t-elle d'une voix malheureuse.

— Hier soir. Ou ce matin.

— Où est-il allé?

Assun-da se contenta de hausser les épaules. Le désespoir envahissait Mélissa par vagues successives. Des larmes contenues piquaient sa rétine, des sanglots refoulés se bousculaient dans sa gorge. Malgré sa situation précaire et l'échec de ses efforts, seule la trahison de David Duncan lui paraissait abominable et monstrueuse. Elle leva sur son interlocutrice des yeux d'encre :

— Seigneur! Que vais-je devenir?

L'autre bondit. Sous son fard, elle était blême.

— Petite intrigante! aboya-t-elle, on ne joue pas impunément avec le cœur de Zambu. Il vous aime et vous aura.

— Mais je ne suis pas d'accord.

— Zambu se préoccupe peu des souhaits des autres. Qu'aviez-vous espéré? Que votre bel Américain vous aurait enlevée? Eh bien, voyez-vous, il vous abandonne à votre triste sort.

— Qu'allez-vous faire de moi?

— S'il ne tenait qu'à moi, je vous aurais renvoyée dans vos foyers. Zambu en a décidé autrement. Figurez-vous qu'il était sérieux lorsqu'il vous a proposé le mariage.

Il y avait beaucoup de dépit dans la voix de la Bhoutanaise. Interloquée, Mélissa la regarda sans pouvoir prononcer un mot. Puis, petit à petit, elle pâlit, comme si elle venait seulement de se rendre compte de l'énormité de la chose.

— Sérieux?

Assun-da éclata d'un rire hystérique.

— Je suis sa fiancée. Le saviez-vous?

La jeune fille ouvrit la bouche pour dire que Yang-Lee l'en avait avertie, mais elle se ravisa :

— Je l'ignorais. Je vous croyais plutôt amoureuse de M. Duncan.

Assun-da secoua la nappe lustrée de ses cheveux.

— Je suis devenue la maîtresse de l'Américain uniquement pour complaire à Zambu. Mais c'est lui que j'aime.

Elle baissa les yeux. Ses cils fournis jetèrent une ombre frémissante sur ses pommettes. «Cette femme souffre autant que moi, se dit la prisonnière; est-il possible que je trouve une alliée en la personne de ma pire ennemie? »

— Assun-da... appela-t-elle doucement.

L'autre la fixa et elle fut étonnée par la froideur de son regard. Mélissa eut un geste de recul, comme si on venait de lui frôler la peau avec une lame de rasoir.

— Je souhaite parler à Dalaï-Tambu! déclara-t-elle.

— Il ne peut plus rien pour vous.

— Je suis sous sa protection.

— Vous l'étiez. Le soir de votre évasion, un coup d'État à l'intérieur du palais a privé votre protecteur de tout pouvoir.

— Où est-il maintenant?

— Son frère l'a exilé à Paro. Zambu est désormais le seul maître de Pashemira.

« Le Mal à l'état pur », songea la jeune fille. Une sorte de nausée s'empara d'elle. Se tournant sur le flanc, elle laissa libre cours à ses larmes. Tout compte fait, elle se moquait bien que sa rivale la vît pleurer. Désormais, ses espérances n'étaient plus qu'un pauvre château de cartes balayé par un coup de vent.

TROISIÈME PARTIE

MÉLISSA ET LE DRAGON

12

— Prenez vos places, ordonna Zambu.

Tous s'exécutèrent. Le seigneur de Pashemira occupait maintenant la place de Dalaï-Tambu, à côté de Mélissa. Il faisait face à Assun-da, vêtue d'une robe vermillon qui accentuait la blancheur mate de sa peau. Assis entre deux gardes aux faciès de brutes, Yang-Lee baissait le nez dans son écuelle. A la clarté des lustres, le dîner, par contraste, commença dans une ambiance lugubre. Zambu promena un regard mécontent sur la tablée.

— Vous n'êtes pas très bavards, ce soir, grinça-t-il. Est-ce nos chers absents qui vous manquent? C'est pourtant le début des festivités à Pashemira. Connaissez-vous, ma très chère, la signification de la fête du *Cham*?

Mélissa garda le silence.

— Je me doutais bien que vous ne la connaissiez pas, poursuivit l'hôte, imperturbable, c'est une grande fête, n'est-ce pas Yang?

Le Chinois sursauta :

— Oh! oui, répliqua-t-il, c'est l'affrontement du Bien et du Mal; vous verrez, ce sera épatant.

Zambu approuvait de la tête.

— Exact! Comme toujours, je porterai le masque du taureau. Je deviendrai pour une nuit le démon noir et tentateur. Ses yeux mobiles aux pupilles rétractées surveillaient l'assistance : je suis désolé que Dalaï-Tambu ne puisse pas jouer le rôle de la divinité blanche. Il s'est retiré à Paro afin d'étudier le *Bardo-Tho-dol*, le livre des morts tibétain.

— Si je peux aider... hasarda Yang-Lee... si je peux jouer à la place de votre frère...

— Quelle bonne idée! s'esclaffa Zambu, enchanté de cette perspective, vous connaissez la pièce?

— Oui, pour l'avoir lue plusieurs fois. Un chef-d'œuvre. Après une lutte acharnée, le Bien est victorieux.

— Pas ici! coupa Zambu, j'ai retouché la fin! Chez moi, c'est le démon qui gagne!

Et comme Yang-Lee ouvrait des yeux comme des soucoupes, il ajouta :

— Je vous conseille de bien répéter vos gestes.

La porte s'ouvrit en silence et apparut une procession de serviteurs. Silencieux, fantomatiques, ils passèrent parmi les convives, leur présentant des plateaux en or chargés de volailles rôties et de légumes. Quand le premier serviteur fut près de Mélissa, Zambu lui lança quelques mots en dzongka et l'homme dépassa la jeune fille, sans la servir. Il en fut de même avec les autres plats. Mélissa réalisa que son « fiancé » avait décidé de l'affamer.

Elle observa les autres. Assun-da déchiquetait une cuisse de pigeonneau. Yang-Lee, gêné, avait reposé couteau et fourchette. Les deux gorilles qui l'encadraient mastiquaient en cadence.

— Vous n'avez pas faim, Lee? demanda l'hôte.

Le Chinois se confondit en excuses :

— N... non, bredouilla-t-il, je ne me sens pas très bien, sinon, la cuisine est excellente.

— Goûtez, au moins un peu de vin de la vallée; sans valoir les crus français, il a un bouquet d'une grande finesse.

— Certes, certes, dit Yang-Lee, la mine décomposée, mais je suis un peu souffrant.

— Essayez de guérir avant le *Cham,* sinon je me verrais dans l'obligation de vous remplacer pour le rôle de la divinité blanche.

Le coup porta. Replongeant dans son assiette, le Chinois planta une fourchette encore hésitante dans sa part de volaille. Avant de la porter à sa bouche, il jeta à Mélissa un regard empreint de culpabilité.

La jeune fille se décida à intervenir.

— Connaissez-vous Shakespeare, monsieur? demanda-t-elle.

Zambu se renfrogna :

— Pourquoi me le demandez-vous?

— Ce jeûne auquel vous essayez de me soumettre rappelle fortement une des meilleures comédies de ce grand poète : *La Mégère apprivoisée.*

Zambu éclata de rire.

— Voilà un très bon titre et qui vous sied à merveille.

A son tour elle rit, les yeux méprisants :

— Mais vous n'avez du héros de la comédie en question ni l'intelligence ni la séduction.

Elle se leva et annonça calmement :

— Je vous souhaite une bonne soirée.

Ensuite, elle s'éloigna d'un pas ferme. Lorsqu'elle fut sortie, un grand silence s'instaura sur la tablée. Ce fut Assun-da qui le brisa, un rien ironique :

— Mon cher seigneur, c'est la première fois de ma vie que je vous vois aussi soumis aux caprices d'une femme.

Piqué à vif, Zambu repoussa son écuelle; son visage avait pris une teinte de cendre.

— Vous ne savez plus ce que vous dites, Assun-da! grogna-t-il. Quant à cette femme, je la briserai!

La Bhoutanaise émit un rire forcé :

— Vous êtes plus faible qu'elle. Vous l'aimez, elle vous hait. Cette idiote s'est entichée de votre grand ami Duncan.

— C'est faux!

— L'amour est aveugle! Vous ne voyez plus rien. Au fait, qu'est devenu notre bel Américain? A-t-il quitté le palais de lui même? L'avez-vous chassé comme Dalaï-Tambu? Peut-être même a-t-il rejoint le fameux Mathieu Dandillot?

La main du seigneur de Pashemira se crispa sur son verre.

— Cela suffit! hurla-t-il.

— Il est vrai que la vérité est dure à entendre.

En un geste brusque, Zambu jeta le contenu de son verre au visage de la jeune femme. Dans le silence survenu, entrecoupé de rires étouffés, elle se redressa, la figure blême et ruisselante de gouttelettes d'un rouge rubis. Témoins involontaires de cette scène, les gorilles ricanaient sous cape. Pétrifié, Yang-Lee gardait une main devant la bouche, comme pour étouffer un cri. Au bout d'un moment incroyablement long, Zambu se releva à son tour.

— Continuez votre repas! aboya-t-il. Puis, s'adressant à la jeune femme : Vous dépassez les limites, Assun-da. La jalousie est un défaut que j'exècre.

Elle eut un simple tremblement de la lèvre inférieure. Implacable, il poursuivit :

— J'épouserai cette Française, que vous le vouliez ou non. Votre domination est terminée, de même que celle de Dalaï-Tambu. Maintenant, le maître c'est moi. Contentez-vous d'une honorable seconde place, sinon vous serez renvoyée.

Altière, la Bhoutanaise encaissa chaque parole comme un coup de poignard. A chaque mot, elle serrait les poings, s'enfonçant les ongles dans les paumes des mains. A chaque fin de phrase, elle se raidissait davantage. Ce ne fut que lorsque le seigneur de Pashemira s'éclipsa et que le lourd vantail se referma sur lui qu'Assun-da, abandonnant son attitude digne, se laissa aller à son désespoir. Les autres continuèrent à manger, comme si elle n'existait pas.

— Vous aimer? Ça non, jamais! s'écria Mélissa.

Debout, le visage décomposé par l'angoisse et l'insomnie, elle promena un regard embué sur le Bouddha colossal qui dominait le sanctuaire. Zambu hocha la tête tristement. Comme il tournait le dos à la statue, son inquiétante silhouette se détachait en noir sur la clarté des lampes et des bougies. La jeune fille ne lui donna pas l'occasion de répondre.

— Pourquoi m'avez-vous fait venir ici en pleine nuit? Cela ne vous suffit pas de me priver de nourriture, faut-il aussi m'interdire le sommeil? N'avez-vous aucune pitié? Est-ce une épouse que vous voulez ou un cadavre?

— C'est ici le lieu de notre première rencontre, murmura-t-il d'un air pitoyable.

— Et alors? Cela ne change en rien mes sentiments à votre égard.

— Vous me haïssez?

— Je vous méprise.

Il se mordit cruellement la lèvre pour contenir sa hargne.

— Pourquoi me repoussez-vous? Votre lutte est inutile, vous vous épuisez pour rien.

— Je vous combattrai jusqu'au bout, de toutes mes forces. Et maintenant, ayez au moins l'obligeance de me permettre de prendre congé.

Il secoua la tête en un signe de dénégation.

— Ainsi, siffla-t-il entre ses dents, Assun-da avait raison.

— C'est-à-dire?

— Vous ne voulez pas de moi parce que vous êtes amoureuse d'un autre homme.

— Tiens donc! Lequel?

— Duncan! Osez dire le contraire.

Au souvenir de David la jeune fille refoula un soupir.

— Duncan? prononça-t-elle avec humeur, ce traître? Non, Zambu, vous faites fausse route. Je le déteste. Cela vous rassurerait, sans doute, de vous savoir repoussé à cause d'un rival. Ce serait plus commode. Il ne s'agit pas de cela.

Elle le vit s'approcher et elle recula instinctivement. Rapide comme un vautour, il l'attrapa par un bras, la forçant à le suivre. Ses doigts serraient impitoyablement sa chair tendre. Elle cria de douleur. Mais il continua à avancer vers un des portiques, avec une froide détermination. Ils parcoururent, ainsi, le couloir laqué en noir, traversèrent le vestibule, puis une enfilade de pièces obscures. Ils dépassèrent ensuite un groupe de gardes et, enfin, s'arrêtèrent devant la chambre de Mélissa. Zambu ouvrit la porte d'un coup de pied et poussa la jeune fille à l'intérieur. Il entra à sa suite et referma le battant.

« Et maintenant? » pensa Mélissa, tremblante. Le clair de lune inondait le lit d'une lumière argentée. Le grand miroir lançait des éclairs d'étain. Terrorisée, la jeune fille reculait, sachant qu'elle serait obligée de s'arrêter et qu'il finirait par lui imposer sa volonté.

— Je vous en supplie...

Il ricana :

— Vous voilà à votre place, miss Dandillot! Une femme ne doit pas défier un homme, comprenez-vous?

Il bondit sur elle. Avant qu'elle n'ait pu esquisser un geste de défense, il l'étreignit brutalement contre lui. L'huile odorante dont il avait enduit son corps rappela à la jeune fille le cruel Tennerig qui avait failli la violer dans la jungle. Mais, alors, David Duncan était là. Et ce soir? Où était-il? Elle se débattit désespérément tout en prenant conscience de la force surhumaine de son agresseur. L'empoignant par les cheveux, le seigneur de Pashemira écrasa sa bouche contre la sienne. Elle gémit faiblement et s'affaissa, inerte, dans ses bras.

— Mélissa! Mélissa!

Zambu la souleva comme une plume et l'allongea sur le lit. Il admira le visage de sa victime, que le clair de lune rendait transparent. Puis il essuya les larmes qui coulaient dans sa barbe.

— Pardon! Pardon! dit-il d'un ton pathétique.

Il déposa un baiser sur le front de Mélissa et se retira sur la pointe des pieds.

« Je l'ai échappé belle! se dit-elle en rouvrant aussitôt les yeux, mais je ne pourrai pas feindre l'évanouissement à chaque fois. »

Les jours se succédèrent, mornes, mélancoliques. De toute la semaine, Mélissa ne revit ni Zambu ni Assun-da. On la laissait se déplacer à l'intérieur du château et prendre ses repas en compagnie de Yang-Lee. Celui-ci lui apprit que le seigneur de Pashemira avait renoncé à la punir.

— Yang! Pour l'amour du Ciel! Que dois-je faire?

Le Chinois passa une main dans sa chevelure tressée et laquée selon la mode ancienne.

— Il ne peut pas vous épouser avant la fin des festivités. D'ici là, un événement pourrait se produire.

— Le croyez-vous?

Un mince sourire étira les lèvres de Yang-Lee.

— Il faut toujours espérer, soupira-t-il.

Espérer quoi? Mélissa retomba dans son mutisme. Du moins le Chinois, ému sans doute par ses malheurs, avait-il cessé de la courtiser, et elle lui en était reconnaissante. Pour le reste, elle avait beau penser et repenser à la situation, assembler les possibilités d'un renversement, chaque fois elle arrivait à la même conclusion : elle n'avait que peu de chances de s'en sortir.

— A quoi pensez-vous? demanda Lee.

Sa main pommadée se posa sur celle de Mélissa et, dans un élan de tendresse, elle enfouit son visage au creux de l'épaule du Chinois.

— Oh! Yang-Lee! Est-ce possible que ma vie s'arrête entre ces murs? Va-t-on me laisser devenir la propriété de ce monstre?

Il lui caressa les cheveux :

— Peut-être vos amis vont-ils réagir... intervenir.

Elle eut un rire amer :

— Parlons-en de mes amis! Si vous faites allusion à M. Duncan, vous vous trompez.

— Et votre tante?

— La pauvre femme ignore ce que je suis devenue. J'ai la conviction que mon télégramme ne lui est même pas parvenu. Quant à M. Duncan, n'est-il pas parti de son propre gré, alors que j'étais en danger?

— Allons! Allons! Tout ira bien. Après tout, même si vous épousez Zambu, vous pourrez toujours annuler ce mariage par la suite. J'imagine que, dans votre pays, il n'aura aucune assise légale.

— Mais, Yang!

Elle s'interrompit en rougissant. Comment expliquer à son ami chinois qu'elle avait imaginé autrement sa nuit de noces? Se rendant compte que l'attention de Yang-Lee était captée par une présence, elle releva la tête et ressentit un léger choc en apercevant Assun-da.

— Bonjour! dit celle-ci d'une voix acerbe.

Mélissa considéra la Bhoutanaise. «Comme elle a changé »! Tassée, repliée sur elle-même, les yeux cernés et le teint terreux, elle ne ressemblait plus à la créature voluptueuse que Mélissa avait connue. Les deux femmes se toisèrent, rongées toutes les deux par la même inquiétude. Discret, le Chinois s'en fut, prétextant une répétition de son rôle.

— Asseyez-vous! dit Mélissa.

L'autre s'exécuta, mais demeura figée, le buste raide, les mains sur les genoux.

— Vous paraissez en forme, vous, observa-t-elle perfidement.

La jeune fille se glissa au côté d'Assun-da.

— Vous m'en voulez, n'est-ce pas?

— Oui! Depuis que vous avez mis le pied ici, Zambu n'est plus le même. Maintenant, il va vous épouser à ma place.

— C'est à lui qu'il faut en vouloir. Il me retient de force.

— Vous l'avez ensorcelé.

Mélissa secoua ses boucles scintillantes :

— Ce n'était pas mon intention. Je suis arrivée ici sur les traces de mon frère.

L'autre acquiesça mélancoliquement :

— Je sais...

— Comment? Avez-vous connu Mathieu?

La pâleur d'Assun-da s'accentua et, cependant, elle nia :

— Non. Je n'ai connu personne de ce nom. Le seul homme blanc qui ait fréquenté ce palais, c'est l'Américain.

Comme chaque fois que l'on faisait allusion à David, la jeune fille ressentit une vive douleur au cœur, comme un déchirement.

— Oh... lui! fit-elle, avec une moue.

— C'est lui que vous aimez?

— A quoi cela sert-il d'aimer quelqu'un qui ne le mérite pas? demanda Mélissa sans lever les yeux.

— La ronde infernale des amours... J'aime Zambu, Zambu vous aime, vous aimez l'étranger.

— Et lui, il n'aime personne.

— Je ne le pense pas, Mélissa.

Attentive, Mélissa scruta la Bhoutanaise. Celle-ci reprit en baissant la voix :

— Quand vous avez disparu, il était fou de rage. Il s'est disputé avec moi et Zambu.

— Cependant, il était votre amant! s'écria Mélissa, rougissant de sa hardiesse.

L'autre ne broncha pas.

— Oui, bien sûr, je vous ai déjà expliqué dans quelles circonstances.

Assun-da avait parlé d'un ton si affligé que Mélissa ressentit envers elle un élan de sympathie. Elle aspira profondément l'air vicié. La pièce lui parut exiguë et tiède, sentant le renfermé. Elle éprouva le besoin d'aller dehors et de courir dans les herbages. En vérité, un cri de triomphe se formulait en elle. « Tout de même, il s'est inquiété de moi ».

— Où est-il allé? demanda-t-elle.

— Je n'en sais rien. Parti à votre recherche, sans doute.

— Ne m'ayant pas trouvée, pourquoi n'est-il pas revenu?

Elles se turent, chacune gardant ses craintes pour elle. Enfin, la Bhoutanaise se résolut à parler :

— Je ne vous cache pas que je m'interroge à son sujet. Il a pu être capturé par les hommes de Zambu. En ce cas, il doit être enfermé dans un souterrain de la Tanière ou interdit de séjour, comme Dalaï-Tambu.

« Et Mathieu? Est-il pris, lui aussi? » songea Mélissa.

— Quel est le sort des prisonniers?

Assun-da haussa les épaules. Son regard morose glissa sur les objets, sans but apparent.

— Pour l'instant, il ne risque rien, affirma-t-elle, mais après le *Cham*...

Elle s'interrompit. Ses joues restaient pâles. Mélissa avait la bouche sèche. Elle se remit debout, les yeux étincelants.

— Mais il faut réagir! Vous, moi, tous ensemble avec Lee, nous pourrions faire quelque chose.

Assun-da éclata d'un rire taciturne :

— Vous plaisantez? Comme si vous n'aviez pas vu tous ces mercenaires! Que pouvons-nous contre les armes?

— Nous avons les nôtres : la ruse, par exemple. Assun-da, aidez-moi!

124

La jeune femme resta sans réaction. Une vitre incendiée par le soleil renvoyait une clarté éblouissante sur son visage. Elle eut un mouvement de dénégation :

— Ne me demandez rien. Je ne peux plus rien.

Mélissa lui saisit la main.

— Alors, pourquoi cette entrevue?

Assun-da baissait la tête, dérobant son pâle regard à celui de la jeune fille.

— Nous aurons le même homme, hoqueta-t-elle, alors je voulais connaître vos dispositions.

Mélissa se redressa. Elle était en colère :

— Seigneur! Quelle passivité! Quel fatalisme! Et dire que j'avais imaginé que vous pouviez avoir une emprise sur Zambu!

Elle tourna les talons et quitta la pièce, sans attendre de réponse.

Un peu plus tard, le front appuyé sur la vitre de sa fenêtre hermétiquement close (Zambu l'avait fait verrouiller), elle contempla la verte vallée. La forme créneiée de la montagne se découpait sur la bande claire du ciel. Quelques nuages sulfureux accrochaient leurs lambeaux aux sommets. La prisonnière soupira. De l'autre côté de la montagne, il y avait la liberté, étrangement proche et inaccessible à la fois.

Mais de vagues espérances agitaient ses pensées. « David reviendra », songea-t-elle. Elle tressaillit.

13

— ME voici! dit le dragon.

Fascinée, la jeune fille contempla le masque du diable. Fait de cuir fauve et de papier mâché peint, il était réellement impressionnant.

— C'est une œuvre d'art! déclara-t-elle avec chaleur.

Zambu acquiesça :

— Et c'est un artiste qui l'a fabriqué.

Avec des gestes lents, rituels, il ôta le masque et questionna, anxieux :

— Comment m'avez-vous trouvé?

Elle secoua ses boucles :

— Cette tête de taureau vous sied à merveille. Je suis sûre que vous jouerez parfaitement votre rôle, demain.

Zambu cligna des paupières. Tant de bonne humeur et de soumission de la part de la jeune Française lui paraissaient suspectes.

— Qu'y a-t-il? dit-il d'un air inquisiteur, est-ce une nouvelle ruse, ou vous rendez-vous, enfin, à la raison?

Elle le gratifia d'un sourire dévastateur.

— J'ai beaucoup réfléchi, ces derniers temps.

— Et quelles sont vos conclusions?

— Après tout, devenir votre épouse sera pour moi un grand honneur.

Fronçant les traits de ses sourcils, le seigneur de

Pashemira remit le masque à l'un de ses serviteurs.

— Venez, décida-t-il, nous allons faire quelques pas ensemble.

Docile, elle le suivit, respirant l'air frais et pur du matin. Mélissa était contente. Depuis quelques jours, elle s'appliquait à endormir la vigilance de son « fiancé ». Cela avait fini par porter ses fruits. La preuve : pour la première fois depuis sa capture, Zambu lui avait permis de sortir du palais, en sa seule compagnie. Pas l'ombre d'un soldat à proximité. « Pourvu que ça dure », soupira-t-elle.

Galant, Zambu l'aida à traverser le vieux pont, puis, côte à côte, ils se frayèrent un chemin dans les hautes herbes et les rhododendrons fleuris. Elle frôla les pétales poudreux d'une fleur et, à ce contact, elle frémit d'une joie secrète.

— Dieu, que la nature est belle! s'exclama-t-elle.

Zambu lui jeta un regard scrutateur. Mélissa lui offrait un profil au petit nez droit, à la lèvre sensuelle et humide. Fragile et innocente, elle continuait à admirer la nature verdoyante. L'homme se renfrogna : «Si féminine, si enfantine... Un tel revirement est-il possible? Est-elle réellement amoureuse de moi? »

Il lui toucha une main. Elle lui sourit, avec malice.

— Je sens que vous voulez me poser une question, dit-elle.

— Oui, admit-il, déconcerté, qu'est-ce qui vous a fait changer d'avis à mon sujet?

Elle renversa la tête, avec une moue d'insouciance :

— Je ne sais pas... A force de vous voir tous les jours, je me suis aperçue que vous aviez une personnalité intéressante. Et puis, vous le savez, Zambu, vous ne manquez pas de séduction.

Ce disant, elle se baissa pour ramasser un asphodèle, afin de lui cacher la rougeur de honte qui lui embrasait les joues.

« Espérons seulement que tante Abigaël n'ait pas fait, ce

jour-là, une de ses boutades habituelles », se dit-elle en humant le subtil parfum de la corolle. En pensée, elle revit sa chère tante se reservant du café et pérorant du fond de sa bergère rose de Parme :

— Mes amis, j'en ai assez d'entendre parler de vanité féminine. Certes, elle existe! Mais que faites-vous de la fatuité masculine? Parlez-donc à un homme de sa séduction et vous le verrez se pâmer, comme la plus vulgaire des créatures.

Mélissa sentit sur son épaule la main de Zambu.

— Êtes-vous réellement sensible à mon charme? interrogea-t-il.

Sa main tâtant la rondeur de son épaule lui faisait l'effet d'une brûlure. Cependant, elle opina :

— Oh, oui! Vous dégagez... comment dire? une force sensuelle qui vous rend irrésistible!

— Ah! fit-il simplement.

La pression des doigts s'accentua, arrachant un gémissement à Mélissa. Se méprenant sur sa signification, le seigneur de Pashemira l'attira contre lui, la serrant très fort. Son haleine sur le visage de la jeune fille ressemblait à des bouffées d'un soufflet de forge. L'asphodèle tomba broyé à leurs pieds, petite tache d'un jaune duveteux. Avec affolement, elle sentit l'étreinte se resserrer jusqu'au seuil de la douleur. Une bouche vorace adhéra à son cou.

— Non, je vous en prie, gémit-elle.

Il répondit par un grognement. Chaque baiser de Zambu lui absorbait un peu de ses forces. En vain elle essaya de le repousser. Autant vouloir déplacer une armoire à glace. Égarée, honteuse, elle ne se débattit plus et accueillit sans réaction les effusions de son compagnon. Vaincue, elle le laissa l'embrasser farouchement sur les lèvres, en remerciant le ciel que cette scène se déroulât en plein air. Quand, enfin, il se détacha d'elle, respirant par saccades, les yeux chavirés de désir, la jeune fille dut faire un effort surhumain pour ne pas le gifler.

— Ma chérie, murmura-t-il, je veux tout de suite la preuve de votre amour.

« Aviez-vous prévu cela, tante Abigaël? » Mélissa émit un curieux petit rire qui ressemblait à un sanglot :

— Je vous donnerai cette preuve... après notre mariage.

Il lui flatta la nuque :

— Allons dans votre chambre. Pourquoi voulez-vous attendre? Ne sommes-nous pas tous deux dévorés par la passion?

Elle tremblait comme une feuille et, encore une fois, il se méprenait sur ses états d'âme.

— Quelle impatience! minauda-t-elle en se haïssant, dans ma famille, les jeunes filles ne se donnent à un homme que s'il est leur époux.

L'argument porta et l'homme parut saisi de la plus forte des émotions. Ses yeux couleur de soufre s'allumèrent, perçant sa peau hâve de deux trous lumineux.

— Ainsi, les dieux vous ont gardée intacte pour moi, rien que pour moi! s'exclama-t-il, oh! Mélissa, quel merveilleux cadeau vous me ferez.

Elle ne put répondre — elle en aurait été incapable — et concentra toute son attention sur l'asphodèle qui gisait, flétri, sur le gazon. Zambu toucha son médaillon et s'inclina profondément, puis saisit la main de la jeune fille qu'il effleura de ses lèvres.

— Tout ce que je possède, tous mes trésors seront à vous, ma bien-aimée!

Elle le remercia d'un sourire maussade. « Dire que j'ai pu obtenir en dix minutes ce que David Duncan convoite depuis si longtemps : tous les trésors... » Elle faillit éclater d'un rire sarcastique. Le maître de la Tanière du Lion la serra une dernière fois dans ses bras :

— Je vous laisse. A ce soir, au dîner.

Elle feignit l'enchantement :

— Vous m'autorisez à rester dehors?

Du bout des doigts il lui envoya un baiser :

— Mais vous êtes libre, Mélissa! Libre à l'intérieur du cercle magique de mon amour.

— Alors, à ce soir, dit-elle en le regardant intensément.

Elle le vit emprunter le chemin du retour, s'enfoncer dans les creux feuillus, émerger près du pont, gravir enfin les marches du palais. De temps en temps il se retournait, lui adressant des signes d'au revoir auxquels elle répondait en agitant la main. Mélissa savait qu'elle avait gagné sa confiance. « Abigaël avait raison. »

Elle se laissa choir sur le sol moutonnant. Elle avait un goût âpre dans la bouche. Ses oreilles bourdonnaient de mots d'amour qu'elle n'avait pas mérités. Son sang fouettait ses tempes. Frissonnante, elle porta une main hésitante à ses lèvres tuméfiées, comme si le baiser de Zambu avait effacé celui de David. Les yeux secs, elle scruta le ciel toujours tourmenté des hautes terres du Bhoutan, où des nuages jaunes, gris, fuchsia se bousculaient, pourchassés par les vents. Des lambeaux poudreux passaient devant le disque étincelant du soleil.

Longtemps elle resta allongée sur l'herbe, à écouter le chant des oiseaux et, plus lointain, le sourd vacarme des torrents. « Sainte Marie! Comment ai-je pu jouer la comédie à ce point? Moi qui avais toujours eu le mensonge en horreur! »

A nouveau, elle passa un doigt sur la courbe de ses lèvres. Pouvait-elle seulement recomposer dans son esprit le visage de David? Se souvenait-elle de ses baisers, moins sauvages, mais plus ardents que ceux de Zambu... Saisie de vertige, Mélissa comprit qu'elle éprouvait, à l'égard du seigneur de Pashemira, des sentiments contradictoires : répulsion et attirance. Allait-elle succomber vraiment à son charme ténébreux?

« O David! Revenez vite, je vais à la dérive. »

130

— Quelle immonde garce! s'exclama Assun-da en s'éloignant de la fenêtre.

Tout en elle trahissait la fureur. Yang-Lee pencha la tête sur le côté, la bouche en cul de poule :

— Et moi, je dis que cette jeune personne sait bien utiliser ses armes naturelles.

— Que voulez-vous dire?

— Ce baiser était faux. Il lui a coûté autant qu'à vous. Dans un autre sens, bien sûr.

Assun-da ébaucha une grimace de dépit. Depuis quelques jours, elle accusait son âge. De petites rides émaillaient ses paupières et ses lèvres avaient pris un pli amer.

— Non, non, murmura-t-elle, hargneuse, je sais reconnaître un vrai baiser d'un faux. Zambu est bel homme, il est normal qu'à son contact n'importe quelle femme s'amourache de lui.

Sa poitrine se souleva, gonflée d'un soupir.

— Il est des moments où je me dis qu'un peu de poudre de belladone, ou une décoction de ciguë...

L'expression épouvantée du Chinois la fit s'interrompre.

— Assun-da! Vous ne songez pas sérieusement...

— Non, Lee! C'était pour rire, rétorqua-t-elle, mais son regard restait de braise, allons! mettez votre masque et voyons si vous avez fait des progrès depuis hier.

Le Chinois obéit prestement et enfila la tête de la divinité blanche, énorme, disproportionnée par rapport à son petit corps grassouillet. Il exécuta quelques pas de danse en levant de son mieux ses genoux et en agitant les bras.

— Qu'en pensez-vous? s'enquit-il d'une voix que le carton-pâte déformait.

— Ce n'est pas mal. N'oubliez pas que vous jouerez le rôle tenu habituellement par Dalaï-Tambu.

Flatté, Yang-Lee se mit à tournoyer sur lui-même, comme un possédé.

— Non! Non! cria Assun-da, soyez plus serein, vous êtes le Bien, non? Celui qui sauve. Faites des mouvements amples mais ronds.

En vérité, la jeune femme fixait la divinité blanche sans la voir. Acerbes et torturées, ses pensées s'enchevêtraient dans son cerveau.

— En finir... monologua-t-elle, les prunelles fixes, oui, oui, une bonne décoction de ciguë ferait l'affaire...

14

Le grondement semblait surgir des entrailles de la terre. Mélissa s'éveilla en sursaut et David fut aussitôt emporté dans le néant. En se penchant à sa fenêtre, la jeune fille aperçut, sortant de Pashemira, une joyeuse foule bigarrée, qui s'avançait vers la Tanière du Lion. Des musiciens ouvraient la marche, soufflant dans des trompettes longues de trois mètres, dont le son continu évoquait le rugissement du dragon.

La plupart des hommes portaient des masques qu'ils avaient fabriqués eux-mêmes, avec du papier mâché et du coton trempé dans de l'eau farineuse, et enduits de chaux. La célèbre formule bouddhique fusa dans la vallée, par-dessus les sons cuivrés des trompettes.

— *Om mani padme hum! Om mani padme hum!*

Mélissa sursauta.

— Le *Cham!* s'exclama-t-elle à voix haute, c'est aujourd'hui le jour du dragon!

Autant dire l'ultime jour. Avec effarement, elle songea que le soir même tout serait terminé et qu'elle devrait, en épouse amoureuse, partager la couche de Zambu. « Seigneur Dieu! » Elle serra ses tempes douloureuses. Pendant tous ces jours, elle avait vécu comme dans un rêve, en espérant l'impossible. Rien ne s'était produit pour contrecarrer l'inexorable marche du temps. Personne ne s'était inquiété de son sort. Ni Mathieu, s'il était toujours en vie, ni sa tante, ni David, ni même Dalaï-Tambu, son protecteur. On eût dit que le déroulement des événements s'était suspendu et que le monde entier l'avait oubliée. Ayant la brusque sensation de se trouver dans un pays irréel, mythique, hors de l'espace et du temps, elle se rua vers la porte, mue par une impulsion, lorsque le vantail s'ouvrit de lui-même.

Assun-da apparut sous le chambranle, vêtue d'un *Ko* fluide et parsemé de strass. Elle portait, sur un plateau orné de grappes et de feuilles d'acanthe, un gobelet fumant en or massif.

— Votre petit déjeuner! grinça-t-elle.

Elle observa la jeune fille d'un air scrutateur. Celle-ci lui adressa un pâle sourire.

— Le bruit m'a réveillée. Je voulais me rendre, justement, à la salle à manger.

Rien ne bougea sur le visage de cire d'Assun-da.

— Elle est fermée, à cause des festivités. Zambu vous fait dire de l'attendre ici habillée d'un costume qu'il vous fera apporter.

La Bhoutanaise parlait d'une voix sans timbre. Elle déposa le plateau sur la table de chevet, puis se retournant, elle examina à nouveau la jeune fille. Dans le contre-jour complice, elle détailla le corps courbe et ferme qui transparaissait à travers la gaze de la chemise de nuit.

— Vous êtes belle! dit Assun-da d'un ton agressif. A mon âge vous serez moins fraîche, c'est sûr.

— Taisez-vous! s'écria Mélissa, exaspérée, vous êtes digne de votre sort. Vous auriez pu m'aider à m'échapper, vous ne l'avez pas voulu. Alors, ne venez pas vous lamenter maintenant.

— Je ne pouvais pas vous aider.

— Pour quelle raison? Zambu vous fait donc si peur?

Les yeux d'Assun-da brillaient à travers ses larmes.

— Vous partie, je n'avais aucune chance de le reconquérir. C'est terminé pour moi. Je suis trop vieille, je saurai m'effacer. J'élèverai vos enfants.

— Assez! hurla Mélissa à bout de nerfs.

L'autre eut un haut-le-corps. Sa bouche s'était durcie.

— Vous avez raison, dit-elle, de me haïr. Je vous hais également.

— Ce n'est pas l'impression que vous m'avez donnée lors de notre dernière entrevue.

— C'est exact. Mais alors vous n'échangiez pas de baisers avec Zambu sous mes fenêtres.

Mélissa ouvrit la bouche pour répondre mais elle fut interrompue par un léger tambourinement à la porte. Ce fut la Bhoutanaise qui ouvrit et Mélissa l'entendit échanger quelques mots en dzongka avec une autre femme. Elle revint vers elle, d'un air ironique.

— Votre robe de mariée! annonça-t-elle.

Sans attendre de réponse, elle étala sur le lit une tunique blanche aux lourdes draperies. Deux bracelets en or incrusté de rubis et un torque identique rehaussaient la parure.

— Les deux bracelets symbolisent les chaînes conjugales, commenta-t-elle, un rien triomphante, et ce torque que vous porterez au cou représentera, pour vous, le joug dont vous ne vous déferez jamais.

Mélissa s'assit au bord du lit, accablée. Assun-da amorça son départ en ricanant. Avant de sortir, elle ajouta :

— Buvez ce breuvage que j'ai fait préparer pour vous. C'est un peu amer, mais cela vous étourdira suffisamment pour supporter l'épreuve du mariage.

— Merci! dit Mélissa d'une voix impersonnelle.

Quand Assun-da disparut, elle sut brusquement qu'elle n'avait plus aucune carte dans son jeu. Elle s'avança d'un pas las vers la table de chevet et saisit le bol fumant.

L'épais liquide ambré qui remuait au fond dégageait une odeur acide.

— Mélissa! fit une voix chevrotante.

Elle se retourna et vit la tête de Yang-Lee par l'entrebâillement de la porte.

— Bonjour, Lee! dit-elle en s'efforçant de paraître calme, quel bon vent vous amène?

Le Chinois se glissa dans la chambre et referma la lourde porte derrière lui.

— Je me suis préparé pour le jeu, annonça-t-il, les yeux brillants de satisfaction, je jouerai le dieu blanc.

— Je suis au courant.

Réjoui comme un enfant, il vint s'asseoir à ses côtés.

— Que faites-vous là?

— Je m'apprêtais à avaler un breuvage magique, mon cher Lee, destiné à agir sur mes nerfs éprouvés.

— Oh! mais c'est exactement ce qu'il me faut! Il fait aujourd'hui une chaleur orageuse qui n'arrange pas les nerfs. On craint même un séisme. Tout cela, vous comprenez, accentue mon trac. J'ai souvent entendu que les grands acteurs en Chine mâchaient des feuilles d'opium avant d'entrer en scène.

Ce disant, il lui prit le bol des mains et en but quelques gorgées.

— Peuh! C'est infect.

— Mais c'est, semble-t-il, très efficace. Aux dires d'Assun-da...

Le Chinois cessa de boire :

— C'est elle qui vous l'a apporté?

— Oui, à l'instant.

Elle fronça les sourcils, saisie par l'expression de Yang-Lee. Dans son vêtement de serge noire, il était pâle comme la mort.

— Yang! Yang! Que vous arrive-t-il?

Elle le secoua par le bras et il lâcha le bol. Le récipient roula sur le sol, répandant un liquide sirupeux. Des idées confuses se battaient dans l'esprit alangui du Chinois.

Il entendit, comme à travers une cloison cotonneuse, la voix dure d'Assun-da :

— Il est des moments où je me dis qu'un peu de poudre de belladone, ou une décoction de ciguës...

C'était hier. Il avait pensé, alors, que la Bhoutanaise voulait se donner la mort. Et maintenant... il porta les mains contre sa poitrine et sentit les sourds battements de son cœur. L'instant suivant, il se redressa.

— Je dois partir, annonça-t-il, le front ruisselant de sueur, je dois porter le déguisement de mon rôle dans dix minutes. Est-ce votre robe de mariée? demanda-t-il sans transition, avec un sourire de regret. Elle est très belle.

La jeune fille le fixa. Ses joues s'étaient creusées et il avait un teint de cendre. Sa peau grêlée suintait d'une sueur froide et tenace. Mélissa saisit ses doigts glacés.

— Yang-Lee! Êtes-vous malade?

Il secoua la tête en faisant balancer sa tresse laquée.

— Non, c'est le trac. Tout simplement. Voyez-vous, jusqu'à ce jour j'ai mené une existence inutile. J'étais un parasite, je mangeais à tous les râteliers, comme vous dites, chez vous.

— Je vous en prie, Yang! Pourquoi vous accusez-vous?

— Je dis la vérité. Eh bien, Mélissa, en acceptant de jouer le dieu du Bien, à la place de quelqu'un d'autre — le rôle de celui qui sauve, vous imaginez? —, eh bien, je me suis rendu utile pour la première fois dans ma vie!

Mélissa luttait contre ses larmes.

Confusément, elle se demanda pourquoi la scène prenait des allures d'adieu. Cela en devenait hallucinant. Yang-Lee ébaucha une gracieuse révérence et se retira sur la pointe des pieds. Mélissa resta seule, dans sa chambre inondée de soleil, face à sa somptueuse robe de mariée. Comme envoûtée, elle retira sa chemise de nuit. Pendant quelques instants son corps nu resplendit dans la lumière.

Puis, ayant enfilé la robe, elle se regarda dans le miroir. Sa propre beauté la fascina.

Taillée dans une lourde soie moirée, retenue aux épaules par deux broches de rubis en forme de lotus, sa tunique épousait les formes harmonieuses de son corps. A chacun de ses mouvements, les minuscules pierres précieuses dont elle était parsemée flamboyaient comme des miroirs ardents. Avec des gestes languides elle entreprit de ramasser son abondante chevelure, tout en se disant que c'était ainsi qu'elle souhaitait que David Duncan la vît.

La musique des trompettes s'était estompée. Maintenant, elle entendait, à travers les pierres de taille du palais, des hautbois et des tambourins, annonçant le début du spectacle. Entendant des pas résonner dans le couloir, elle se raidit en serrant les poings. Elle imagina, plutôt qu'elle ne vit, Zambu dans son déguisement du Mal, mais les pas se multiplièrent. Des clameurs éclatèrent devant sa porte et il y eut deux coups de feu, secs et rapides, suivis de bruits mats.

Mélissa se coula contre le mur, le cœur battant.

« Que se passe-t-il? » Elle n'eut pas le temps de formuler des suppositions. La porte de sa chambre s'effondra dans un fracas épouvantable et un homme armé d'un revolver fit irruption. Mélissa observa le canon fumant braqué sur elle. Ensuite, son regard remonta au visage de l'individu qui la menaçait et un immense cri s'éleva en elle. La jeune fille s'élança en avant, riant et pleurant de bonheur. Quand les bras de l'homme se refermèrent sur son corps, elle se sentit toute petite et un incommensurable bonheur la transporta toute entière :

— Oh! Cela m'est égal si je meurs en cet instant, dit-elle, Dieu soit loué, je t'ai retrouvé, Mathieu!

Il sourit dans sa barbe blonde, puis il secoua sa tête léonine.

— A ce que je vois, nous sommes arrivés à temps.

« Nous! Il a dit *nous*! » Elle se dégagea de son frère et vit, debout sous le chambranle, la silhouette longiligne et nerveuse de David Duncan. Le jeune homme lui adressa un sourire éclatant :

— Ravi de vous revoir, miss Dandillot! lança-t-il avec son ironie habituelle.

Mais, au fond de ses yeux, Mélissa déchiffra une admiration muette. Elle courut à sa rencontre et se blottit contre lui. Dehors, tout était silencieux. Seule une flûte de Pan égrenait ses notes limpides, quelque part dans l'édifice, annonçant sur les tréteaux l'apparition de la divinité blanche.

— Il faut en profiter pour filer à l'anglaise! dit Mathieu.

David prit la main de Mélissa.

— Êtes-vous prête à nous suivre, ou préférez-vous épouser votre ténébreux soupirant?

Elle se contenta de se serrer contre lui.

— Comment avez-vous découvert Mathieu?

David prit un air mystérieux :

— C'est une longue histoire. D'abord, c'est lui qui m'a découvert, grâce à quelques connivences à Pashemira. Nous vous raconterons cela plus tard. Pour l'instant, ce qui importe, c'est d'échapper à cette souricière.

— On y va! dit Mathieu.

Il se glissa le premier hors de la pièce. Mélissa suivit. David ferma la marche. Le couloir était jonché de corps inertes.

— Dépêchons-nous, avant qu'ils ne se réveillent, chuchota Mathieu. Avez-vous apporté les masques?

— Certainement. La vieille Leh me les a remis hier soir.

— Leh? demanda Mélissa de plus en plus intriguée.

— Une vieille connaissance, dit Mathieu.

— Je sais, elle m'avait fixé un lieu de rendez-vous avec toi. Mais je suis tombée sur Zambu.

— Oui, je n'ai pas pu intervenir, j'étais seul.

Les deux hommes mirent les masques. Deux têtes d'animaux; oiseau pour Mathieu, léopard pour David. Mélissa pensa que chacun avait choisi l'animal qui lui était le plus proche. D'un pas égal, ils prirent l'enfilade des salons. Vus de loin, ils ressemblaient à deux gardes du corps escortant la mariée. Dans la salle à manger, ils croisèrent un groupe de mercenaires. Le cœur de Mélissa battait la chamade. Rien ne se produisit et les trois fugitifs purent regagner le vestibule.

— Il y a une poterne qui conduit à l'extérieur, murmura Mathieu derrière son masque.

C'est alors qu'un faible gémissement attira leur attention. Un homme était allongé à même le marbre du sol, à moitié caché par une banquette recouverte de velours grenat. Sa face était blanche comme un linge. Ses yeux éteints gardaient une minuscule lueur.

— Yang-Lee! s'exclama Mélissa en se penchant sur lui.

Un douloureux rictus retroussa les lèvres du Chinois.

— Mélissa! susurra-t-il dans un râle, je suis content que vous soyez sauvée.

— Que vous est-il arrivé?

Le moribond grimaça un sourire.

— Rien de grave. Je vais mourir! Dommage que je n'aie pu tenir mon rôle au théâtre.

Ses prunelles se révulsèrent et un mince filet de bave coula sur son menton. Mélissa se redressa, glacée et tremblante. Des larmes jaillirent du coin de ses yeux.

— Il a bu le poison qui m'était destiné!

— Dépêchons-nous! fit David.

Tous les trois s'engouffrèrent dans un corridor bas de plafond, que la jeune fille estima parallèle à celui qui conduisait au sanctuaire. Mélissa marchait courbée entre les deux hommes, reniflant et ravalant ses larmes. Jamais elle n'oublierait Yang-Lee. Soudain, elle sursauta :

— Yang devait jouer le dieu du Bien; ne le voyant pas apparaître, Zambu s'inquiétera.

A son grand étonnement, Mathieu rit doucement :

— Tu n'es pas au bout de tes surprises, petite sœur! Le dieu du Bien est revenu de son exil.

Elle écarquilla les yeux :

— Dalaï-Tambu?

— En personne, affirma David, cette année la pièce se terminera comme dans la plus pure des traditions : par la victoire du Bien sur le Mal.

— Voilà la sortie! coupa Mathieu.

Le sanctuaire était bondé. Le *Cham* était commencé et un silence recueilli régnait parmi les spectateurs. Accroupis, installés à même le carrelage ou assis sur des nattes qu'ils avaient transportées, les hommes et les femmes de Pashemira ne perdaient rien de la scène. Sur le tréteau élevé à cet effet au milieu de la salle, le génie du Mal venait d'exécuter sa danse rituelle, ricanant et roulant des yeux fauves dans les orbites de son masque de taureau. Maintenant, les trompettes et les tambourins s'étaient tus. Une flûte avait pris la relève, annonçant l'entrée du dieu blanc. Le public retenait son souffle.

A l'apparition du masque du Bien, un remous parcourut la foule. Dans l'assistance, la vieille Leh ricana doucement. Alors que le dieu blanc montait sur le tréteau, dans la clarté ambrée des lampes, on vit la divinité du Mal reculer, suivant la tradition.

Assise au premier rang des spectateurs, Assun-da se pencha en avant. L'assurance du masque blanc ne pouvait pas la tromper. Brusquement, brisant le rite, le dieu du Bien se dirigea vers le diable :

— Tu as perdu, Zambu! s'écria-t-il.

Éberlués, les spectateurs virent le démon chanceler. Un cri déchira le silence et il ôta son masque. La figure terreuse de Zambu apparut. Il suffoquait. Certains gardes bondirent, prêts à intervenir. Le regard de Zambu croisa celui d'Assun-da. Elle s'était mise debout, le visage baigné de larmes. A son tour, la divinité blanche se défit de son masque. Le visage austère de Dalaï-Tambu arracha un murmure de respect au public.

— Je suis revenu de mon exil, annonça-t-il de sa voix de guitare désaccordée.

La foule applaudit.

Soudain, Zambu sauta du tréteau, la bouche grande ouverte. Les yeux lui sortaient de la tête. Il était enragé. Il appela ses gardes en hurlant, comme un forcené :

— Vite! Vite! Allez me chercher ma fiancée.

Une demi-douzaine de gaillards partirent aussitôt à la recherche de Mélissa. Assun-da se rassit. Une voix stridente perça au milieu de la foule :

— Trop tard, mon fils! Trop tard!

La vieille Leh éclata d'un rire convulsif.

15

— Par ici! Par ici! hurla Mathieu.

Le vent emportait ses paroles. Les trois fugitifs couraient à perdre haleine. Leurs poursuivants les serraient de près. Un chapelet de balles siffla au-dessus de leurs têtes. Aussitôt, ils plongèrent à plat ventre dans les hautes herbes qu'un souffle violent agitait.

— Courage, ma chérie! murmura David à l'oreille de Mélissa.

Ces mots eurent le don de l'apaiser. Malgré la gravité de la situation, la jeune fille se sentait heureuse et elle se prit à trouver agréable le contact obligatoire de leurs corps. Elle s'était retrouvée plaquée sur le sol moussu, sa belle robe déchirée et souillée de boue, et ressentait, à travers le tissu, les muscles contractés de David, couché sur elle pour la protéger. Elle eut honte. Mais une chaleur traîtresse s'était éveillée en elle et coulait dans son sang. L'instant suivant, Mathieu donna un ordre de départ et ils se remirent à courir. Le charme était rompu.

Au pied des hauts plateaux, elle s'arrêta, à bout de souffle.

— Je n'y arriverai jamais! gémit-elle.

— Il le faut! dit David en la tirant par le bras.

Derrière eux, la vallée était noire de soldats. David se retourna et tira quelques balles. Mathieu l'imita. Les deux premiers rangs ennemis disparurent momentanément. Maintenant, la route montait terriblement. Ils avaient le vent contraire. Sa violence les empêchait d'avancer. Dans un ciel rouge, des nuages anthracite tourbillonnaient. Le soleil ressemblait à du cuivre patiné. La nature avait pris une teinte luminescente.

Au moment où les trois jeunes gens atteignirent le premier plateau, un long éclair zébra le ciel. Un tonnerre fracassant s'ensuivit, fendant les épais nuages en deux. Pendant une fraction de seconde, l'insoutenable clarté du soleil envahit la vallée, puis tout fut à nouveau plongé dans une pénombre grise.

David aida Mélissa à gravir les derniers mètres et la prit dans ses bras pour la hisser. Elle regarda avec adoration son visage viril qui se contractait sous l'effort et les folles boucles brunes de ses cheveux que le vent ébouriffait.

— J'ai perdu une sandale! dit-elle.

Pour toute réponse, il la souleva dans ses bras. Elle passa ses mains autour de la nuque puissante et se laissa emporter. Soudain, dans la semi-obscurité, elle vit la statue d'Amithaba se découper sur le fond noir des rochers.

Souriant et énigmatique, le dieu de l'Amour montrait toujours sa mystérieuse direction. Mathieu s'immobilisa, regardant alentour. Il se retourna vers ses compagnons, le visage soucieux :

— Je ne vois pas l'hélicoptère. On s'était pourtant bien mis d'accord sur le lieu du rendez-vous. Quelle heure est-il?

David Duncan regarda sa montre.

— Midi exactement! répondit-il.

Mathieu se mordit la lèvre.

— On est perdus!

David déposa Mélissa sur ses pieds et scruta le ciel. Dans les épais nuages, il n'y avait pas le moindre hélicoptère. Les yeux assombris, il se retourna vers Mathieu.

— Je refuse de tomber entre leurs mains! décida-t-il. Et je refuse qu'on me reprenne Mélissa.

Les deux hommes dégainèrent leurs armes, avec un air décidé. Un éclair traversa le ciel de biais, illuminant Amithaba. Un tonnerre roula dans les montagnes, se répercutant de sommets en précipices, tel le rugissement de quelque monstre mythique. On eût dit que le dragon réclamait sa fiancée. Mélissa frémit. Elle se souvint de ce que la vieille Leh lui avait dit à propos de l'ombre du doigt de la statue et ouvrit la bouche pour en faire part à ses compagnons, mais elle n'en eut pas le temps.

Subitement, ce fut l'enfer! Un sinistre craquement déchira l'atmosphère, puis le sol se mit à trembler.

— Seigneur! Un tremblement de terre! cria-t-elle, affolée.

Tous les trois s'éloignèrent de la statue en marcassite, qui lentement, très lentement, bascula sur son socle naturel de rochers, tomba vers l'avant d'un seul bloc et en touchant le sol se brisa en mille morceaux!

— Melissa, je vous aime! dit David Duncan.

— On ne peut pas dire que vous ne choisissez pas vos effets!

La secousse se termina brusquement, comme elle avait commencé. Mathieu se glissa vers les basaltes qui les séparaient de leurs détracteurs.

— Ce mini-séisme est venu fort à propos, dit-il; il a en tout cas effrayé nos ennemis, car je n'en vois plus un seul.

Il se pencha pour mieux regarder :

— Si, j'en vois deux qui caracolent dans la pierraille en direction opposée!

Il fixa le ciel :

— Cela se dégage, là-haut! Encore une chance, n'est-ce pas, David?

Ne recevant aucune réponse, il se retourna vers le couple. Etroitement enlacés, Mélissa et David s'embrassaient passionnément. Mathieu haussa les épaules :

— Quand on est amoureux... commença-t-il.

Il suspendit sa phrase. Un vague vrombissement dans le ciel lui fit dresser l'oreille. Peu après, il aperçut là-haut, étincelant de tous ses chromes, le Super-Frelon tant attendu.

— Hourrah! s'écria-t-il en agitant les bras.

David se détacha de Mélissa. Alors que l'hélicoptère se posait en douceur et que son hélice brassait l'air, faisant tournoyer les herbages, il lui caressa le bout du nez.

— Voulez-vous m'épouser? demanda-t-il.

Elle crut que son cœur allait éclater.

— C'est mon plus cher désir! murmura-t-elle.

Mathieu avait déjà pris place à côté du conducteur. En relevant le bas de sa robe pour grimper dans l'appareil, la jeune fille se figea un instant. Aux commandes, le Mongol la salua d'un signe de tête.

— Hello! dit-elle.

Peu après, le Super-Frelon décollait et prenait de la hauteur. Dans les bras de David, Mélissa regarda défiler les parois torturées de l'Himalaya, puis, dans une vue plongeante, elle vit l'étroite vallée de Pashemira flanquée de montagnes abruptes et dominée par la Tanière du Lion. Ainsi vue de haut, avec une de ses tours démolie par le séisme, elle ressemblait plus que jamais à un bateau à la dérive. Inexplicablement émue, la jeune fille adressa un ardent adieu à tous ses habitants, êtres étranges et passionnés.

L'hélicoptère se déporta sur le côté et Pashemira disparut comme une vision éteinte à jamais. Mélissa sentit les douces lèvres de David Duncan sur sa tempe.

— J'ai cru devenir fou en vous perdant, murmura-t-il.

Mathieu pivota sur son siège. Dans la broussaille blonde de sa barbe, son visage avait un peu vieilli. Mais ses yeux bleus brillaient de joie.

— Alors? fit-il en souriant, tout est bien qui finit bien!

Mélissa s'ébroua.

— Eh! Un instant! s'écria-t-elle. Vous me devez une explication, tous les deux.

Ils échangèrent un regard complice, faussement étonné.

— Vraiment? dit David.

— Ah oui? renchérit Mathieu. Que veux-tu savoir?

Elle mit les mains sur ses hanches :

— Tout!

Mathieu parla le premier :

— J'ai été engagé par le seigneur de Pashemira il y a quatre mois. Il prétendait qu'il y avait un trésor enfoui dans ses terres. J'ai vite compris qu'il voulait mettre la main dessus pour son compte personnel.

— Il est bien assez riche comme ça.

— Certainement; mais, dans ses rêves mégalomanes, il se voit roi du Bhoutan! expliqua Mathieu en fronçant les sourcils. Quand j'ai saisi ses intentions, je me suis enfui. Je m'apprêtais à quitter Pashemira par l'intermédiaire de la vieille Leh et de ses amis, quand mon ami ici présent (et il indiqua le Mongol) m'avertit de ton arrivée, ma chère sœur.

— En somme, on s'est croisé?

— Oui! Et je savais qu'en arrivant, tu allais au-devant d'une catastrophe.

— Quelle intuition!

— Non! C'était une certitude. Un jour, pendant qu'on travaillait dans la bibliothèque, Zambu avait aperçu le médaillon que tu m'avais offert pour mes vingt ans.

— Je connais la suite! coupa Mélissa, il est aussitôt tombé amoureux de moi. (Elle éclata de rire devant les mines atterrées de ses compagnons.) C'est lui-même qui me l'a dit en me montrant le médaillon.

Chacun se mit à parler en même temps que les autres. Mathieu imposa le silence.

— J'étais extrêmement inquiet. Je savais que tu avais perdu mes traces et n'avais aucun moyen pour te contacter. Si je me faisais arrêter par les hommes de Zambu, je ne donnais pas cher de ma peau. C'est alors que Duncan vint me trouver.

David continua le récit :

— A mon tour je fus engagé par le seigneur de Pashemira. J'avais mon idée sur le trésor, mais, moins scrupuleux que Mathieu, je désirais toucher ma part et m'en aller. Or, entre-temps (sa voix se radoucit), j'étais tombé amoureux fou de Mélissa.

La jeune fille haussa le menton.

— Ce n'était guère visible!

— Au début, je me le suis caché à moi-même. Je ne croyais pas à votre histoire. Je me posais des tas de questions sur vos intentions. Pour tout vous dire, je vous prenais pour une jolie espionne travaillant soit pour le compte des autorités, soit pour un organisme archéologique officiel.

— C'était cependant si simple...

— Vous trouvez? On m'a déjà fait le coup au Bengale, dans les Andes...

— Décidément, vous êtes poursuivi par les femmes! dit Mélissa, boudeuse.

Il l'embrassa.

— Mais aucune n'a su gagner mon amour.

— Pourquoi avez-vous passé votre temps à m'éviter, à la Tanière?

— Au début, à cause d'Assun-da.

— Assun-da est amoureuse de Zambu! coupa la jeune fille.

— Je le savais. Mais elle était jalouse et possessive avec tous les hommes qui l'entouraient. Par la suite...

— Eh bien?

— C'est à Zambu que je cachais mes sentiments. Il ne supporte aucun rival. J'ai joué la comédie en espérant

148

trouver un moyen pour nous enfuir ensemble. Hélas, vous m'avez devancé. Quand vous avez disparu, j'ai failli devenir fou. J'ai cru que Zambu vous avait enlevée. La même nuit, un coup d'État *intra-muros* renversa Dalaï-Tambu, qui se réfugia à Paro.

— Je l'ai appris par Assun-da.

— Je l'ai suivi au lieu de son exil. C'est grâce à lui que j'ai pu retrouver Mathieu.

— Comment? fit-elle, étonnée. Il le connaissait?

— Bien sûr, intervint Mathieu, mais il gardait le silence. C'est par Dalaï-Tambu que j'ai connu Leh.

Le Super-Frelon poursuivait sa route aérienne. L'azur de l'air se confondait avec les pics bleuïs dans le lointain. Un soleil radieux voguait dans le ciel. Etourdie par tant de révélations, Mélissa ferma les yeux. Posant sa tête sur l'épaule de David, elle sentit, avec délice, sa main caressante dans ses cheveux.

Une agréable torpeur la gagnait. Avant de s'endormir, elle murmura :

— Moi aussi j'ai une révélation à vous faire.

Le pilote jeta un coup d'œil à travers le Plexiglas de sa fenêtre. Emergeant de la tache sombre de la verdure un *dzong* réfléchissait les rayons du soleil. Le Mongol se retourna vers ses passagers.

— On va atterrir! annonça-t-il.

Légère et rutilante, la machine volante se mit à descendre vers Punakha.

Le Ramjam de la *Maison de Chenrezig* ouvrit des yeux ronds comme des soucoupes. Pour la énième fois, il se demanda, avec épouvante, quel crime il avait pu commettre pour mériter un pareil châtiment. Il se surprit même à s'interroger : ne fallait-il pas réduire à une trentaine seulement ses cent pipes d'opium par jour? Cependant, il avait beau secouer la tête et battre des paupières, le démon ne partait pas. Jamais vision ne fut plus tenace.

— Pitié! soupira-t-il, laissez-moi respirer (car le démon était également doté de parole et il en abusait), je vous ai dit tout ce que je savais. Ou, plutôt, je vous ai dit que je ne savais rien.

— Cela m'étonnerait, cher monsieur! Inutile de remuer votre houppette, cela ne m'impressionne pas. Je connais personnellement la famille royale et je peux vous faire perdre votre place dans les cinq minutes qui suivent.

Les jambes flageolantes, le Ramjam se posa sur le bord du sofa. Il avait baissé les persiennes et son bureau baignait dans une fraîche pénombre. « Aïe! Aïe! se dit-il, Zambu est le diable, mais ce mauvais génie que voilà n'en est pas moins redoutable. Que faire? »

— Je n'ai jamais vu votre nièce! Je vous le jure.

— Ta! ta! ta! fit Abigaël Dandillot avec une expression de mépris.

Elle redressa sa taille minuscule, braquant son face-à-main sur le vieillard terrorisé.

— Vous mentez!

Elle ponctua son cri en brandissant une feuille de papier froissée que le Ramjam ne regarda pas.

— J'ai reçu ce télégramme il y a trois jours! Vous vous rendez compte? Il a mis quatre semaines à me parvenir. Votre poste marche mal, mon cher. Enfin, ma nièce me prévenait qu'elle partait pour Pashemira en compagnie d'un M. Duncan à qui j'aurais aimé dire deux mots!

Le Ramjam émit un son plaintif. Abigaël fourra le télégramme dans son sac en croco et le fusilla d'un regard noir :

— Alors, glapit-elle en tapant du pied, allez-vous m'indiquer enfin où je peux trouver Mélissa, ou dois-je vous traîner ce soir même devant les autorités à Thimbu?

Certain, désormais, que d'obscures divinités le persécutaient, le Ramjam se leva, se traîna jusqu'à la fenêtre et poussa machinalement les persiennes. La lumière crue lui fit plisser les paupières. « Tant pis pour Zambu, je ne peux pas le couvrir plus longtemps. » Il s'épongea le front tout en pesant intérieurement ses mots, car le moment était venu d'avouer la terrible vérité. Sans détacher son regard de la ruelle bordée de murs mangés de lierre, il commença d'une voix à peine audible :

— Miss Dandillot a effectivement quitté Punakha, voici un mois, avec Mr. David Duncan...

— La suite!

— Euh... j'étais exactement à cette place, quand je les ai vus partir. Mon adjoint peut confirmer. L'Américain avait loué les services de deux garçons que je connais, Tennerig et Bhotia. Deux adolescents, pas très futés...

Il s'interrompit, hésitant. Implacable, la voix du démon le fit sursauter :

— La suite!

Il avala sa salive et reprit :

— J'étais à cette même place lorsque j'ai vu les deux garçons revenir. A mes questions ils n'ont répondu que par de vagues allusions à une dispute qui les aurait opposés à Mr. Duncan.

— C'est comme si j'y étais! dit Abigaël. Il doit être bien sot, ce monsieur, pour engager deux jeunes hommes, alors qu'il emmenait Mélissa!

— C'est sûr! acquiesça le Ramjam sans comprendre; en tout cas, c'est tout ce que je sais. Tennerig et Bhotia pourraient peut-être vous en apprendre davantage. Est-ce...

Il suspendit sa phrase et écarquilla les yeux.

— Fantastique... murmura-t-il.

Cela ne pouvait plus durer! Son esprit fatigué lui jouait de vilains tours. Il décida sur-le-champ de réduire sa ration quotidienne de chanvre. Il se pinça discrètement, mais, comme il s'y attendait, il ne se réveilla pas. Pis! La scène qu'il était en train de contempler continuait de se dérouler, avec une hallucinante précision. Maintenant, le Ramjam voyait nettement l'Américain avançant de son pas félin et entourant d'un bras protecteur la jeune Française, décoiffée et affublée d'une incroyable robe de mariée bhoutanaise. Leur emboîtant le pas, blond comme les blés, amaigri, barbu et chevelu, venait l'autre homme blanc — celui même pour qui Zambu lui avait demandé de trafiquer les rapports de la douane.

Le Ramjam chancela et s'agrippa sur le rebord de la fenêtre.

— Par Drukyul! monologua-t-il, ils sont revenus! Ils ont vaincu le dragon!

Abigaël Dandillot resta debout au milieu de la pièce. Quand les trois rescapés de Pashemira entrèrent dans le bureau du Ramjam, l'un derrière l'autre, elle darda sur eux un regard désapprobateur :

— Ce n'est pas trop tôt! grommela-t-elle.

ÉPILOGUE

LE lustre en pâte de verre de Venise déversait des torrents de lumière dorée sur une cohue élégante. Le salon Louis XV d'Abigaël Dandillot était rempli par le Tout-Paris. Sur les surfaces polies des meubles, des gerbes de roses rouges embrasaient l'espace. Les invités se pressaient devant le somptueux buffet, le champagne rose (le seul qu'Abigaël supportât) coulait à flot dans des coupes de cristal. Une douzaine de garçons stylés, sanglés dans des vestes immaculées aux épaulettes galonnées, assuraient le service.

— Ma tante, vous êtes magnifique! s'exclama Mathieu.

La vieille dame eut une moue de coquetterie.

— Vous n'êtes pas mal non plus sans votre barbe, mon cher neveu.

Mathieu opina :

— Cela me rajeunit. Une ou deux de vos ravissantes invitées me l'ont fait remarquer. Mais dites-moi, ma tante, où avez-vous déniché tant de jolies femmes?

— Dans mes carnets d'adresses, répliqua Abigaël, mais avouez qu'aucune femme présente ne peut éclipser la beauté de la jeune mariée.

De fait, dans sa robe de tulle blanc, auréolée de gaze retenue par une couronne de fleurs d'oranger et de brillants, resplendissante, Mélissa souriait de bonheur. Abigaël se coula parmi les invités, guettant leurs commentaires. A sa grande satisfaction, elle n'entendit que des compliments.

— Quel beau couple!

— Ils sont splendides.

— Ainsi, le beau Duncan a abandonné ses conquêtes.

— Et je le comprends...

David portait un smoking bleu nuit et attirait sur lui tous les regards féminins. Le jeune homme n'avait d'yeux que pour son épouse.

— Vous êtes adorable! murmura-t-il, les yeux brûlants.

Mélissa tendit sa coupe et ils portèrent un toast à leur bonheur.

— Savez-vous que j'ai rêvé de cet instant?

Elle lui raconta le rêve qu'elle avait fait chez le Mongol. Il rit et elle lui fit écho.

— Voyez-vous, dit-elle, mon rêve se réalise à peu de détails près. Je revois, parmi les invités, les Villermont, les Costal, oh! et les Duvivier.

Elle énuméra encore quelques noms, puis, soudain, elle se tut en crispant sa main sur la manche de son époux.

— Qu'y a-t-il? s'enquit-il.

Elle déposa sa coupe de champagne sur un plateau et désigna d'un coup d'œil un petit homme à la mine grise en grande conversation avec Mathieu et Abigaël.

— N'est-ce pas l'historien qui vous avait attaqué pendant une émission télévisée?

Il acquiesça.

— C'est moi qui l'ai invité. Nous sommes devenus amis, depuis. Venez, je vais vous présenter.

Elle le suivit, avec le sentiment que tous les sortilèges s'étaient dénoués.

— Enchantée, monsieur! murmura Mélissa quelques instants plus tard en serrant la main du petit homme.

Elle n'avait pas retenu son nom et elle se dit en réprimant un sourire que jamais il n'aurait pu s'imaginer combien il avait pu hanter ses nuits. L'historien garda la main de la jeune fille dans la sienne en posant sur elle un regard vert huître.

— Positivement ravissante! affirma-t-il. Votre frère me racontait vos aventures au Bhoutan. Vous étiez, paraît-il, sur les traces d'un trésor.

Un rire frais lui répondit.

— Oui, et j'ai promis à mon frère, ainsi qu'à mon mari, de leur faire une révélation à ce sujet.

— C'est vrai, je m'en souviens! s'exclama Mathieu.

David la regarda :

— Quelle est votre révélation, ma chérie?

Elle releva le menton.

— Le trésor doit se trouver enfoui au bout de l'ombre du doigt d'Amithaba, sur les hauts plateaux.

A sa grande surprise, David ne parut pas étonné. Par un geste qui lui était désormais familier, il lui caressa le bout du nez.

— En êtes-vous sûre?

— Cer... certaine, bredouilla-t-elle (elle l'était déjà moins). Ne me demandez pas d'où je tiens cette information, c'est un... une intuition.

— Et vous aviez raison, dit David en l'enveloppant d'un regard amoureux, car ce trésor, je l'ai trouvé!

Il y eut un silence pendant lequel Mélissa regarda tour à tour les visages sérieux de ses interlocuteurs. Elle fixa enfin David.

— Vous plaisantez?

Il lui décocha son sourire irrésistible.

— Pas du tout, je suis un homme riche. Puis, comme elle le regardait, fascinée : C'est vous, mon amour, le fabuleux trésor!

Il l'enlaça étroitement et tous deux s'embrassèrent avec fougue.

— Tant de bonheur, c'est impossible! soupira Mélissa.

Elle se blottit contre David. Dans une buée rose qui sentait l'iris, elle vit le visage adoré de son époux. « Mariée, songea-t-elle, quel drôle de mot! »

Les paroles de David lui firent l'effet d'une exquise mélodie :

— Je vous aime, Mélissa. Un jour, je vous ferai lire un curieux chant *dzongka*. Zambu s'était trompé. En le lisant, j'avais compris subitement de quel trésor il s'agissait...

Émerveillée, elle acquiesça. Il se pencha et la souleva dans ses bras.

— En attendant, je vous enlève, madame Duncan. Nous avons beaucoup de temps d'amour à rattraper.

La foule des invités se fendit en deux pour laisser passer les jeunes mariés. Mélissa et David sortirent en oubliant de saluer l'assistance.

Ils étaient seuls au monde.

LA GRANDE CATASTROPHE DE 1983

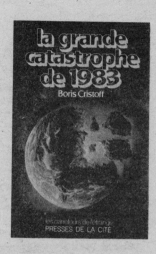

LA TERRE VA-T-ELLE VERS SA FIN?

"Je peux affirmer qu'aux environs de 1983 notre planète connaîtra une des plus grandes catastrophes de son histoire, j'entends aussi bien une guerre qu'un grave accident écologique ou astral. Nous pressentons des cataclysmes et d'immenses catastrophes. Nous ne prétendons pas être les seuls à sentir cette pression. D'autres dont je vais parler, le font, qui ne sont pas précisément les astrologues que nous sommes" — Boris CRISTOFF.

UN LIVRE APOCALYPTIQUE

L'élaboration d'une théorie qui prédit la catastrophe mondiale en 1983.

Un volume de 210 pages format 5 1 / 4 x 8 — $8.95

ÉCRIRE EN LETTRES MOULÉES

Veuillez me faire parvenir le volume
La Grande Catastrophe de 1983
Ci-joint le paiement soit $8.95.

Nom ....

Adresse ....

Ville .... Code ....

FAIRE CHÈQUE OU MANDAT-POSTE AU NOM DE

LES PRESSES DE LA CITÉ LTÉE
9797 rue Tolhurst, Montréal, P.Q. H3L 2Z7

COMME UN TAUREAU SAUVAGE

Jake La Motta, vous connaissez? Mais si, rappelez-vous... 1949, toute la France passant une nuit blanche, pendue à ce que l'on appelait encore la T.S.F., pour suivre les péripéties du match de boxe disputé aux Etats-Unis par le tenant de la couronne des poids moyens, un certain Marcel Cerdan. Quinze reprises, tire en jeu. Son adversaire victorieux? Jake La Motta.

Et, quelques mois plus tard, après la mort tragique de Cerdan, le "naufrage" de Laurent Dauthuille, battu treize secondes avant le terme de quinze rounds dramatiques. Le bourreau du Français? Encore et toujours La Motta.

Ce livre est son autobiographie. Le lecteur aura peut-être tendance à estimer que ça n'est pas possible, que La Motta en rajoute, qu'il a lu trop de romans noirs. Mais non, l'histoire qu'il raconte est vraie dans tous ses détails.

Cette autobiographie a donné naissance à un grand film produit par les Artistes associés, mis en scène par Martin Scorsese, avec Robert De Niro dans le rôle de Jake La Motta.

Un volume de 192 pages format 5 1 / 2 x 8 1 / 2 — $8.95

ÉCRIRE EN LETTRES MOULÉES

Veuillez me faire parvenir le volume
Comme un taureau sauvage
Ci joint le paiement soit $8.95.

Nom ....

Adresse ....

Ville .... Code......................

FAIRE CHÈQUE OU MANDAT-POSTE AU NOM DE

LES PRESSES DE LA CITÉ LTÉE
9797 rue Tolhurst, Montréal, P.Q. H3L 2Z7

ÉVITA ET ISABELITA PERON

Deux femmes un homme.

Un quart de siècle de lutte pour le pouvoir, un quart de siècle d'amour et de haine, d'intrigues méprisables, de passions vraies de triomphes et de chutes, de mort et de survie. Grâce à Évita, Peron fût président de l'Argentine pendant 10 ans, grâce à Isabelita, il le redevint pendant près de deux autres années.

Dans des registres très différents, ces deux femmes ont joué des rôles qui tiennent à la fois de Lady Macbeth, de Catherine de Russie et de Joséphine Baker.

Un livre d'histoire passionnant qui se lit comme un roman.

Un volume de 302 pages format 5 1 / 2 x 7 1 / 2 — $8.50.

ÉCRIRE EN LETTRES MOULÉES

Veuillez me faire parvenir le volume
Évita et Isabelita Peron
Ci-joint le paiement, soit $8.50.

....

Adresse ....

Ville .... Code ....

FAIRE CHÈQUE OU MANDAT-POSTE AU NOM DE

LES PRESSES DE LA CITÉ LTÉE
9797 rue Tolhurst, Montréal, P.Q. H3L 2Z7

Achevé d'imprimer
le 28 juillet 1981
sur les presses de
Métropole Litho Inc.
Anjou, Québec - H1J 1N4

Tous droits réservés
Dépôt légal — 3e trimestre 1981
Bibliothèque Nationale du Québec
Bibliothèque Nationale du Canada